O PARQUE DAS IRMÃS MAGNÍFICAS

CAMILA SOSA VILLADA

O PARQUE DAS IRMÃS MAGNÍFICAS

Tradução
Joca Reiners Terron

TUSQUETS EDITORES

Título original: *Las Malas*

Preparação: Maitê Zickhur
Revisão: Vic Vieira e Thais Rimkus
Projeto gráfico: Jussara Fino
Diagramação: Abreu's System
Capa: Adaptada do projeto gráfico original de Compañía
Imagem de capa: Paula Cruz

Dados Internacionais de Catalogação na Publicação (CIP)
Angélica Ilacqua CRB-8/7057

Sosa, Camila Villada
O parque das irmãs magníficas / Camila Sosa Villada; tradução de Joca Reiners Terron – São Paulo: Planeta, 2021.
208 p.

ISBN: 978-65-5535-402-7
Título original: Las Malas

1. Ficção argentina I. Título II. Terron, Joca Reiners

21-1906 CDD Ar863

Índices para catálogo sistemático:

1. Ficção argentina

2021
Todos os direitos desta edição reservados à
EDITORA PLANETA DO BRASIL LTDA.
Rua Bela Cintra, 986 – 4º andar
Consolação – 01415-002 – São Paulo-SP
www.planetadelivros.com.br
faleconosco@editoraplaneta.com.br

Prefácio
Juan Forn

Aos quatro anos, quando Camila Sosa Villada ainda era Cristian Omar, aprendeu a escrever seu nome completo, mas se negava a fazer xixi em pé. Seu pai passou do orgulho à fúria e lhe ofereceu, ali mesmo, um panorama instantâneo do que teria de enfrentar pelo resto da vida se não se dobrasse ao mando paterno, ao mando cultural: vergonha, medo, intolerância, desprezo e incompreensão. A futura Camila não se dobrou, e começaram os castigos, as horas trancada em seu quarto, o extraordinário processo que se iniciou ali dentro. "Meu pai e minha mãe sempre souberam o que eu fazia nesse confinamento: escrevia e me vestia de mulher. Isso os expulsou do meu mundo e me salvou do seu ódio: meu romance comigo mesma, a minha mulher proibida".

Primeiro, eu soube de Camila Sosa Villada por meio de uma palestra no TEDx que ela deu em Córdoba, treze extraordinários minutos que começavam com um prognóstico brutal feito pelo pai dela: "Um dia vão bater nessa porta para me avisar que a encontraram morta, jogada numa vala". Esse era o único destino possível para um rapaz que se vestia de mulher: prostituir-se e terminar numa vala. O restante daquela palestra de Camila era sobre as travestis da lendária zona vermelha do Parque Sarmiento, na capital Córdoba, que ela foi espiar uma noite, morta de medo, recém-chegada da sua cidadezinha para estudar jornalismo na universidade. Aquelas travestis a acharam tão terna e vulnerável que a adotaram na mesma noite. Com elas, disse Camila, "aprendi quanto valia meu corpo e qual era o preço que devia colocar nele. Com elas, aprendi a me defender e a olhar duas vezes uma pessoa antes de emitir um julgamento. Eu não estaria aqui, hoje, se elas não tivessem me defendido dos policiais e dos clientes de merda. Com certeza, estaria numa vala".

Quando chegou da sua cidadezinha à capital, aos dezoito anos, Camila cursava a faculdade durante o dia, trabalhava de noite no Parque Sarmiento e escrevia um blogue chamado *La novia de Sandro*. Escrevia o blogue à mão, no verso das anotações da faculdade, ao chegar de madrugada a seu quarto de pensão, e depois ia até uma *lan house* para digitá-lo. Um dia, descobriu as aulas de teatro da universidade. Pouco depois, abandonou o curso de Comunicação Social e mergulhou na atuação. No dia em que começou sua carreira como atriz, apagou todo o conteúdo do blogue para ocultar aquele passado.

Permitam-me voltar um instante aos tempos no povoado de Mina Clavero. Quando tinha treze anos, Cristian Omar escreveu uma história de amor sobre seu professor de Educação Física. Escreveu a história no feminino, batizou a si mesma de Soledad e a mostrou para sua única confidente no mundo, uma colega de classe, que a traiu, é claro, e levou os papéis à diretoria do colégio. O castigo foi um mês de confinamento e, evidentemente, a destruição do texto. Nessa mesma época, descobriu que sua mãe e seu pai escreviam cartas de amor um para o outro, nas quais falavam coisas que jamais diriam se olhando nos olhos. Descobriu-as, mas não as leu, pois sua mãe as queimou antes.

Com aquele blogue, aconteceu exatamente o contrário. Um fã anônimo o copiara antes de ela apagá-lo. E, quando Camila se consagrou com seus papéis no filme *Mía*, na minissérie *La viuda de Rafael* e no monólogo *Carnes Tolendas*, ele o enviou por e-mail para ela. Camila se sentou para lê-lo e então viu seu passado sob outra perspectiva, do lado oposto do telescópio. "Quando comecei a me travestir, sentia vergonha da minha barba áspera, meu nariz torto, meus dentes tortos. Sentia vergonha de minha falta de estudos, minha falta de visão de mundo, minhas dificuldades em me expressar. Até minhas virtudes me envergonhavam, porque nasceram dos meus erros, das minhas carências." Agora, por outro lado, o que via nos textos daquele blogue era a atitude inabalável, revolucionária, exemplar, daquela irmandade de travestis malvistas, mal-amadas, maltratadas, mal pagas, mal compreendidas, malfaladas.

Essa foi a origem deste livro, essa é a alquimia que ocorre em suas páginas: a transformação da vergonha, do medo, da intolerância, do desprezo e da incompreensão em alta prosa. Porque *O parque das irmãs magníficas* é um relato de infância e um rito de iniciação, um conto de fadas e de terror, um retrato de grupo, um manifesto político, uma memória explosiva, uma visita guiada à fulgurante imaginação de sua autora e uma crônica diferente de tudo, que vem polinizar a literatura. Em seu DNA convergem as duas facetas do mundo trans que mais repelem e aterrorizam a boa sociedade: a fúria travesti e a festa de ser travesti. E, em sua voz literária, convivem as três partes da santíssima trindade de Camila: a parte Marguerite Duras, a parte Wislawa Szymborska e a parte

Carson McCullers. A apropriação de Lorca e Jean Cocteau que Camila realizou nos palcos volta a acontecer nestas páginas com o que soube chupar de Duras, Wislawa e Carson, sem perder em nenhum momento esse tom cordobês essencial todo seu. Para falar francamente, *O parque das irmãs magníficas* é esse tipo de livro que, quando terminamos de ler, queremos que o mundo inteiro o leia.

"Tive de inventar meus próprios papéis porque ninguém havia pensado em personagens para travestis como eu", falou Camila certa vez. "Meu primeiro ato oficial de travestismo foi escrever, antes de sair na rua vestida de mulher", disse em outra ocasião. "Quero mostrar o corpo de uma travesti despido, não o que é visto na pornografia, para que se entenda até que ponto em minha existência tudo é uma grande contradição e convivência", ouvi-a dizer faz pouco tempo. No entanto, de todas as frases dela, minha favorita é: "Alguma vez chegaram a pensar que a poesia poderia ter forma tão concreta?".

No tremendo fim daquela palestra no TEDx, Camila disse que aceitou aquele convite por uma só razão: a necessidade de pedir desculpas àquela irmandade de travestis. Porque nunca as procurou e não as viu nunca mais quando abandonou a prostituição; anos depois, quando voltou a ler aquele blogue que acreditava ter sido apagado para sempre, já era tarde demais para encontrá-las. A vida travesti: um ano delas equivale a sete anos "normais". Num mundo "normal", num mundo de merda, Camila e suas irmãs não teriam a menor chance de se encontrarem outra vez. Mas aqui, em *O parque das irmãs magníficas*, consegue reunir todas elas, em seu mais absoluto esplendor e chocante nudez; então, quando as tem todas abraçadas, diz-lhes: "Alguma vez chegaram a pensar que a poesia podia ter forma tão concreta?".

O PARQUE DAS IRMÃS MAGNÍFICAS

Para Claudia Huergo
e Carlos Quinteros

Todas seríamos rainhas.
Gabriela Mistral

A noite é profunda: gela sobre o Parque. Árvores muito antigas, que acabam de perder suas folhas, parecem suplicar ao céu algo indecifrável, mas vital para a vegetação. Um grupo de travestis faz sua ronda. Seguem amparadas pelo arvoredo. Parecem parte de um mesmo organismo, células de um mesmo animal. Movimentam-se assim, como se fossem manada. Os clientes passam em seus automóveis, diminuem a velocidade ao ver o grupo e, de todas as travestis, escolhem uma a quem chamam com um gesto. A escolhida acode ao convite. Assim acontece noite após noite.

O Parque Sarmiento se encontra no coração da cidade. Um grande pulmão verde, com um zoológico e um parque de diversões. À noite, torna-se selvagem. As travestis esperam sob os ramos ou em frente aos automóveis, passeiam seu feitiço pela boca do lobo, diante da estátua de Dante, a histórica estátua que dá nome à avenida. Todas as noites, as travestis sobem desse inferno sobre o qual ninguém escreve para devolver a primavera ao mundo.

Com esse grupo de travestis também está uma grávida, a única nascida mulher entre todas. As demais, as travestis, transformaram-se para serem mulheres. Na comarca de travestis do Parque, ela é a diferente, a mulher grávida que repete desde sempre a mesma brincadeira: tocar de surpresa a virilha das travestis. Agora mesmo ela faz isso, e todas soltam gargalhadas.

O frio não detém a caravana de travestis. Uma garrafa de uísque segue de mão em mão, tecos de cocaína visitam um a um todos os narizes, alguns enormes e naturais, outros pequenos e operados. O que a natureza não dá, o inferno empresta. Ali, naquele Parque próximo ao centro da cidade, o corpo das travestis toma emprestada do inferno a substância do seu feitiço.

Tia Encarna participa da congregação com entusiasmo feroz. Está exultante depois de uns tecos. Sente que é eterna, sente-se invulnerável como um antigo ídolo de pedra. Contudo, algo que vem da noite e do frio chama sua atenção, a separa de suas amigas. Do fundo do breu, algo a convoca. Entre risadas e o uísque que vai e vem de uma boca pintada a outra, entre as buzinadas dos que passam procurando uma sessão de felicidade com as travestis, Tia Encarna distingue um som de outra procedência, emitido por algo ou alguém que não é como o resto das pessoas que vemos aqui.

As outras travestis seguem a ronda sem prestar atenção aos movimentos de Encarna. Anda desmemoriada, a Tia, repetindo as mesmas velhas piadas. As coisas mais recentes e próximas não têm lugar em sua memória. Chega um momento da vida em que nenhuma recordação está a salvo. Desde então, anota tudo em caderninhos, gruda anotações na porta da geladeira, uma maneira de vencer o esquecimento. Algumas pensam que deve estar ficando louca, outras acreditam que deixou de lembrar por cansaço. Tia Encarna levou muita porrada; botinas de policiais e de clientes jogaram futebol com sua cabeça e também com seus rins. As porradas nos rins a fazem urinar sangue. De modo que ninguém se preocupa quando vai embora, quando as deixa, quando responde à sirene do seu destino.

Afasta-se meio desorientada, fustigada pelos sapatos de acrílico que nos seus cento e setenta e oito anos ela sente como uma cama de pregos. Caminha com dificuldade pela terra seca e pelas ervas daninhas que crescem descuidadamente, cruza a avenida do Dante como um silvo em direção à área do Parque onde há espinhos e barrancos e uma caverna na qual as bichas vão trocar amassos e consolo e que apelidaram de A Caverna do Urso. O hospital Rawson fica a alguns metros – e é o hospital que se encarrega das infecções: nosso segundo lar.

Valas, abismos, arbustos que machucam, bêbados se masturbando. Enquanto Tia Encarna se perde entre os matagais, a magia começa a operar. As putas, os casais com tesão, os alvoroços fortuitos, aqueles que conseguem se encontrar naquele bosque improvisado, todos dão e recebem prazer dentro dos carros estacionados à revelia, ou jogados entre os carrapichos, ou de pé contra as árvores. Nessa hora, o Parque é como um ventre de gozo, um recipiente de sexo sem vergonha. Não dá para distinguir de onde vêm as carícias nem as chupadas. Nessa hora, naquele lugar, os casais estão trepando.

Contudo, Tia Encarna persegue algo assim como um ruído ou um perfume. Nunca é possível saber quando ela vai atrás de algo. Paulatinamente, aquilo que a convocou se revela: é o pranto de um bebê. Tia Encarna tateia o ar com os sapatos nas mãos, enterrando-se na inclemência do terreno para vê-lo com os próprios olhos.

Muita fome e muita sede. Isso se sente no clamor do bebê e é a causa da atribulação da Tia Encarna, que entra no bosque com desespero porque sabe que em algum lugar há uma criança que sofre. É inverno no Parque, e a friaca é tão forte que congela as lágrimas.

Encarna se aproxima das canaletas onde as putas se escondem quando as luzes da polícia se aproximam e, por fim, o encontra. Alguns galhos espinhosos cobrem a criança, que chora desesperada, o Parque parece chorar com ela. Tia Encarna fica muito nervosa, todo o terror do mundo embarga sua garganta nesse momento.

O menino está envolvido por uma jaqueta de adulto, uma peça acolchoada e verde. Parece um papagaio com a cabeça calva. Quando tenta tirá-lo de sua tumba de ramos, espinhos cravam em suas mãos, que começam a sangrar, tingindo as mangas de sua blusa. Parece uma parteira enfiando as mãos dentro da égua para extrair o potrinho. Não sente dor, não repara nos cortes que os espinhos lhe fazem. Continua afastando os ramos e finalmente resgata o menino, que uiva na noite. Está todo cagado, o fedor é insuportável.

Entre as golfadas e o sangue, Tia Encarna o aperta contra o peito e começa, aos gritos, a chamar as amigas. Seus gritos devem viajar até o outro lado da avenida. É difícil que a escutem.

Mas as travestis cachorronas do Parque Sarmiento da cidade de Córdoba escutam muito além de qualquer humano comum. Escutam o chamado da Tia Encarna porque farejam o medo no ar. E ficam alertas, a pele arrepiada, os pelos eriçados, as brânquias abertas, os rostos tensos.

— Travestis do Parque! Venham! Venham que encontrei algo! — grita.

Um menino de cerca de três meses abandonado no Parque. Coberto com os galhos, deixado assim para que a morte fizesse com ele o que bem entendesse. Incluindo cães e gatos selvagens que vivem por ali: as crianças são um banquete em todos os lugares do mundo.

As travestis se aproximam com curiosidade. Parecem uma invasão de zumbis famintas aproximando-se da mulher com o bebê nos braços. Uma leva as mãos à boca, mãos tão grandes que poderiam cobrir o Sol inteiro. Outra exclama que o menino é precioso, uma joia. Outra dá meia-volta sobre seus passos imediatamente e diz:

— Não tenho nada a ver com isso, não vi nada.

— Como vocês são — responde outra, querendo dizer "esses putos bigodudos são bem assim quando o sapato aperta".

— Temos que chamar a polícia — uma disse.

— Não! — grita Tia Encarna. — A polícia, não! Não dá pra entregar uma criança à polícia. Não existe castigo pior!

— Mas não podemos ficar com ela — argumenta uma voz, apelando à razão.

— O menino fica comigo. Vai pra casa com a gente.

— Mas vai levar como se está todo cagado e coberto de sangue?

— Dentro da bolsa. Cabe inteirinho nela.

As travestis caminham do Parque à vizinhança do terminal rodoviário a uma velocidade surpreendente. É uma caravana de gatas, apressadas pelas circunstâncias, com a cabeça baixa, esse gesto que as torna invisíveis. Vão para a casa da Tia Encarna, a pensão mais marica do mundo, que acolheu tantas travestis, escondeu, protegeu, asilou em momentos de desespero. Vão para lá porque sabem que não poderiam estar mais a salvo em nenhum outro lugar. Levam o menino numa bolsa.

Uma delas, a mais jovem, anima-se a dizer em voz alta o que todas já disseram umas às outras em pensamento.

— Está frio demais pra dormir no xilindró.

— O quê? — pergunta Tia Encarna.

— Nada, só isso: que está frio pra dormir no xilindró. Ainda mais por sequestrar um bebê.

Eu vou morta de medo. Caminho atrás delas quase correndo. A visão do menino me esvaziou por dentro. É como se de repente não tivesse órgãos, nem sangue, nem ossos, nem músculos. Em parte é o pânico e em parte é a determinação, dois assuntos que nem sempre seguem de mãos dadas. As garotas estão nervosas, de suas bocas saem vapor e suspiros de medo.

Rogam a todos os santos que o menino não desperte, que não chore, que não grite como gritava alguns instantes antes no Parque, como um leitão no matadouro. Cruzam o caminho de carros conduzidos por bêbados que gritam barbaridades, viaturas da polícia que diminuem a velocidade ao vê-las, estudantes tresnoitados que saem para comprar cigarros.

Apenas baixando a cabeça, as travestis obtêm o dom da transparência que lhes foi dado no momento do seu batismo. Seguem como se meditassem e reprimissem o medo de serem descobertas. Porque, ah!, é preciso ser travesti e levar um recém-nascido ensanguentado dentro de uma bolsa para saber o que é o medo.

Chegam à casa da Tia Encarna. Um casarão de dois andares pintado de rosa, que parece abandonado e as recebe de braços abertos. Entram por um corredor sem decoração e vão direto para o quintal rodeado de portas de vidro, por trás das quais assomam rostos de travestis com muitíssima curiosidade no olhar. Dos quartos de cima chega uma voz em falsete que entoa uma triste canção, que se extingue com o alvoroço. Uma das meninas prepara uma bacia, outra corre para a farmácia de plantão atrás de fraldas e leite em pó para recém-nascidos, outra procura lençóis e toalhas limpas, outra acende um baseado. Tia Encarna fala ao menino com voz muito baixa, inicia a litania, canta baixinho para ele, embrulha-o para que deixe de chorar. Tira a roupa do menino, ela também despe o vestido cagado e, assim, meio desnuda junto de suas amigas, dão banho nele em cima da mesa da cozinha.

Algumas se atrevem a zombar, por mero cu-doce, como se diz, daquele delírio de levarem o menino com elas. De resgatá-lo e o adotarem feito um mascote. Começam a se perguntar como vai se chamar, de onde terá saído, quem terá sido a péssima mãe que o abandonou no Parque. Uma se atreve a dizer que, se a mãe teve a coragem de jogá-lo daquela maneira numa vala, certamente não tinha lhe dado um nome. Outra diz que bem tem a carinha de se chamar O Brilho dos Olhos. Outra a manda se calar por ser tão poética e lembra que correm perigo.

A polícia vai rugir suas sirenes, vai usar suas armas contra as travestis; os noticiários vão gritar, as redações vão pegar fogo, a sociedade vai protestar, sempre disposta ao linchamento. A infância e as travestis são incompatíveis. A imagem de uma travesti com um menino nos braços é um pecado para a gentalha. Os idiotas dirão que é melhor escondê-las de seus filhos, para que não vejam até que ponto um ser humano pode se degenerar. Apesar de saberem tudo isso, as travestis continuam ali, acompanhando o delírio da Tia Encarna.

Isso que acontece nessa casa é cumplicidade de órfãs.

Uma vez o menino limpo e enrolado num lençol como um canelone, Tia Encarna suspira e descansa em seu quarto, adornado como os aposentos de um sultão. Ali tudo é verde, a esperança está no ar, na luz. Aquele quarto é o lugar onde a boa-fé nunca se perde.

Pouco a pouco, a casa vai ficando em silêncio. As travestis se retiraram, algumas foram dormir, outras voltaram para a rua. Eu me jogo para dormir numa poltrona na sala de jantar. Deram uma mamadeira para o menino morto de fome e se cansaram de olhá-lo, de ensaiar nomes, de reivindicar parentescos. Quando se cansou de chorar, o menino se dedicou a olhar para elas, com uma curiosidade inteligente, diretamente nos olhos de cada uma. Isso as impressionou, pois nunca haviam se sentido olhadas daquela forma.

O casarão rosado, do rosa mais travesti do mundo (há plantas em cada janela que se enredam noutras plantas, plantas férteis que dão flores como frutos, nas quais abelhas dançam), de repente ficou silencioso, para não assustar o menino. Tia Encarna desnuda seu peito siliconado e aproxima o bebê dele. O menino fareja a teta dura e gigante e a abocanha com tranquilidade. Não poderá extrair daquele bico nem uma só gota de leite, mas a mulher travesti que o acalenta nos braços finge amamentá-lo e canta para ele uma canção de ninar. Neste mundo, ninguém jamais adormeceu de verdade se uma travesti não lhe cantou uma canção de ninar.

María, uma surda-muda muito jovem e meio adoentada, passa ao meu lado como um súcubo e abre a porta de Encarna sem perguntar, mas com muitíssima delicadeza, e depara-se com aquele quadro. Tia Encarna amamentando, com seu peito recheado de óleo de avião,[1] um recém-nascido. Tia Encarna está a cerca de dez centímetros do chão de tanta paz que sente em

1. Silicone industrial, também chamado de "óleo de avião" por se tratar de um silicone líquido oleoso utilizado, entre outras funções, na limpeza de peças aeronáuticas. (N.E.)

todo o corpo naquele momento, com aquele menino drenando a dor histórica que a habita. O segredo mais bem guardado das amas de leite, o prazer e a dor de ser drenada por uma criança. Uma dolorosa injeção de paz. Tia Encarna tem os olhos virados para trás, um êxtase absoluto. Sussurra, banhada em lágrimas que resvalam por suas tetas e caem sobre a roupa do menino.

Com os dedos unidos na pontinha, María pergunta o que ela está fazendo. Encarna responde que não sabe o que está fazendo, que o menino agarrou sua teta e ela não teve coragem de tirá-la da boca dele. María, a Muda, cruza os dedos sobre o peito, dando a entender que não pode amamentar, que não tem leite.

— Não importa — responde Tia Encarna. — É só um gesto, nada mais.

María nega com a cabeça, reprovando-a, e, com a mesma delicadeza, fecha a porta do quarto. No escuro, bate os dedos do pé na quina de uma mesa e tapa a boca para não gritar. Os olhos se enchem de lágrimas. Ao me ver na poltrona, aponta para o quarto da Tia e, com o mesmo dedo, desenha círculos na têmpora, para me dizer que Encarna ficou louca.

Só um gesto, nada mais. O gesto de uma fêmea que obedece ao seu corpo, e assim o menino fica unido àquela mulher, como Rômulo e Remo à Luperca, a loba.

Da poltrona que me deram para dormir nesta noite, lembro-me do que sempre foi dito em minha casa sobre o meu nascimento. Minha mãe ficou dois dias em trabalho de parto, sem dilatação suficiente e sem suportar as dores. Os médicos se negavam a fazer cesárea, até que meu pai ameaçou de morte o médico encarregado do assunto. Encostou-lhe uma pistola na têmpora e falou que, se não operasse sua mulher para o menino nascer, estaria morto antes de a noite terminar.

Isso foi o que falaram de mim depois: que eu tinha nascido sob ameaça. Meu pai repetiria comigo a mesma atitude, uma e outra vez, a partir de então. Tudo aquilo que me desse vida, cada desejo, cada amor, cada decisão tomada, ele ameaçaria de morte. Minha mãe, por sua vez, dizia que desde o meu nascimento precisava tomar Lexotan para dormir. Essa teria sido a razão de sua relutância, de sua passividade diante da vida do seu filho. Exatamente o oposto do que acontece agora detrás dessa porta, no quarto cuja luz continua acesa. Um resplendor verde cega a morte e a ameaça com vida. Adverte-a que retroceda, que esqueça o menino encontrado no Parque, adverte que já não tem jurisprudência nessa casa.

De minha poltrona, coberta com as mantas das outras travestis da casa, adormeço com a canção de ninar que Encarna entoa para o menino. O relato mil vezes escutado de meu doloroso nascimento se dilui como açúcar no chá. Nessa casa travesti, a doçura ainda pode assustar a morte. Nessa casa, até a morte pode ser bela.

Se alguém quisesse fazer uma leitura de nossa pátria, dessa pátria pela qual juramos morrer em cada hino cantado nos pátios da escola, essa pátria que levou vidas de jovens em suas guerras, essa pátria que enterrou gente em campos de concentração, se alguém quisesse fazer um registro exato dessa merda, deveria, então, ver o corpo da Tia Encarna. Somos isso como país também, o dano sem trégua contra o corpo das travestis. A marca deixada em determinados corpos, de maneira injusta, casual e evitável, essa marca de ódio.

Tia Encarna tinha cento e setenta e oito anos. Tia Encarna tinha cicatrizes de todo tipo, feitas por ela mesma na cadeia (porque é sempre melhor estar na enfermaria que no coração da violência) e também fruto de brigas de rua, clientes miseráveis e ataques de surpresa. Tinha até uma cicatriz na bochecha esquerda que lhe dava um ar malévolo e misterioso. Suas tetas e suas ancas estavam eternamente contundidas, por causa das surras levadas quando esteve presa, inclusive nos tempos dos milicos (ela jurava que na ditadura conhecera cara a cara a maldade do homem). Não, corrijo-me: aqueles hematomas eram por causa do óleo de avião com o qual moldara seu corpo, aquele corpo de *mamma* italiana que lhe dava de comer, pagava a luz, o gás, a água para regar aquele quintal lindamente tomado pela vegetação, aquele quintal que era a continuação do Parque, tal como o corpo dela era a continuação da guerra.

Tia Encarna chegara a Córdoba muito jovem, quando ainda se podia navegar de barco pelo rio Suquía sem se soterrar no lixo. Vivera rodeada de travestis sua vida inteira. Defendia-nos da polícia, dava-nos conselhos quando nos partiam o coração, queria nos emancipar do cafetão, queria que fôssemos livres. Que não engolíssemos o conto do amor romântico. Que nos ocupássemos de outros *business*, nós, as emancipadas do capitalismo, da família e da previdência social.

O instinto materno dela era teatral, porém dominava seu caráter como se fosse autêntico. Exagerava como uma mãe, controlava como uma mãe, era cruel como uma mãe. Tinha o limite da ofensa muito baixo e se ressentia com facilidade.

Em Formosa, havia se enrabichado por um caminhoneiro chaquenho de modo que começaram bem a história. Ela era jovem, recitava de cor poemas de Gabriela Mistral e jurava que seu sonho era ser professora rural, mas os caminhões eram sua vida. "Ser puta de beira de estrada é outra história, a paisagem é diferente. Os caminhoneiros são sujeitos importantes na estrada, são coisa séria", dizia. Mesmo em Córdoba, já tranquila, instalada no Parque, afastada voluntariamente e para sempre do passado, muitas vezes retornava aos povoados da rota onde os caminhoneiros faziam suas paradas.

Tinha injetado óleo de avião nas tetas, nas nádegas, nas ancas e nas maçãs do rosto. Dizia que, além de ser econômico, resistia melhor às porradas. Contudo, as áreas injetadas se encheram de hematomas desagradáveis, e o líquido se deslocou para outras direções, deixando-a cheia de caroços e buracos, como a superfície lunar. Por isso se obrigava a trabalhar sempre com a luz muito baixa.

No joelho esquerdo tinha duas cicatrizes bem feias de balaços, que, assim como entraram, saíram, e nos dias de chuva era frequente vê-la mancar até a cozinha atrás de um copo d'água para tomar analgésico, porque a dor lhe dava tremedeiras.

Os dias de chuva eram uma festa: ninguém saía para trabalhar. Ou, se já tínhamos saído e daí caía o toró, pegávamos todas um táxi até a pensão dela. No caminho, os taxistas se acabavam de rir conosco; era preciso ouvi-los dar risada para perceber que éramos realmente divertidas, valiosas, que também fazíamos coisas boas.

Jogávamos cartas, víamos filmes pornô ou alguma novela na televisão, aconselhávamos as novatas. Depois da chegada do bebê, também nos especializamos em crianças. No entanto, guardávamos segredo. María, a surda-muda, se encarregava de cuidar dele quando a mãe adotiva tinha alguma obrigação. Ninguém devia saber que havia um menino na casa. Esse era nosso nível de inconsciência. Mas também de responsabilidade. Sabíamos que, em qualquer outro lugar, aquele menino simplesmente não receberia afeto, enquanto na casa da Tia Encarna ele era amado.

Por fim, nós o batizamos, após uma votação democrática. Por maioria, escolhemos chamá-lo O Brilho dos Olhos. E convinha muito bem chamá-lo assim, porque Tia Encarna e todas nós, na verdade, recuperávamos o brilho no olhar quando estávamos com ele.

De maneira que, mal entrávamos naquele casarão rosado, perguntávamos: "Onde está O Brilho dos Olhos?". E logo íamos pegá-lo e dizíamos: "Que bonito está O Brilho dos Olhos". Ou, falando entre nós, dizíamos: "Quando O Brilho dos Olhos for grande"... E era uma linguagem muito nossa. Às vezes, simplesmente perguntávamos onde María estava e alguém respondia: "Tá lá, falando com O Brilho dos Olhos", e surgíamos e parecia assombrosa para nós a velocidade das mãos de María para falar com o menino, que a olhava abobado, devolvendo o brilho ao olhar dela.

O Brilho dos Olhos era moreno, maciço, com os olhinhos rasgados feito um chinês triste. À medida que passavam os dias, ia ficando forte, chorava menos, atrevia-se a sorrir para nós. Eu colaborava com canções, ninava-o em meus braços. "Vá com a tia Camila", dizia Tia Encarna quando se cansava de tê-lo nos braços e o entregava para mim, que o levava para passear pela casa. Às vezes, eu me sentava na varanda: um menino, um marido, uma casa, um quintal, flores nos vasos, uma biblioteca, receber amigos aos fins de semana, deixar a prostituição, reconciliar-me com meus pais.

Os dias de chuva também eram uma festa em minha infância, em Mina Clavero, povoado que testemunhou como comecei a converter o corpo do filho de um casal de biscateiros numa travesti.

Quando chovia no verão, eu podia permanecer em casa e não ir trabalhar. Por ter nascido na pobreza, estava destinada a trabalhar. "Tem de aprender a ganhar a vida desde pequeno", dizia meu pai. E pendurava no meu ombro uma caixa de isopor cheia de picolés e me mandava vendê-los na beira do rio. A palavra era vergonha. Não podia sentir vergonha maior que esta: a constatação da pobreza. Mendigar para as pessoas que comprassem picolés, aprendendo, desde então, as astúcias do comércio que depois colocaria em prática para vender meu corpo: dizer o que os clientes querem ouvir. Naquele maldito povoado com aquele maldito rio.

Por isso a chuva sempre será uma bênção. Porque, quando chovia, não tinha de ir para a beira do rio vender picolés aos turistas, que eram e são o pior de tudo o que já existiu. Como em casa éramos pobres, o trabalho infantil era uma coisa muito digna, e eu trabalhava para pagar o uniforme do colégio, o material escolar, enquanto meus colegas da escola estavam de férias. Aos nove anos, suportava a pena com que os turistas olhavam o pobre garoto mariquinha que vendia picolés, os progressistas que pensavam que estava sendo explorado, como aquele rapazote que um dia me convidou pra entrar na sua barraca e mostrou seu pau enorme, duro, perfeito, e perguntou se eu gostava, e eu lhe disse que sim, e ele me convidou a acariciá-lo, mas com cuidado porque mordia, e deixei de lado a caixa de isopor cheia de picolés e ele me disse que pegasse um e besuntasse seu pau, e minha boca congelou e fiquei com medo e não gostei do sabor e tudo acabou descambando em desastre, pois o picolé tinha derretido sobre o púbis dele e o deixado pegajoso, daí ele me disse que eu não servia para nada, algo que eu escutava com frequência da boca do meu pai, e me expulsou da barraca dizendo que eu nem pensasse em abrir o bico, e me afastei do rio contando os poucos caraminguás que tinha conseguido com os picolés e voltei para casa fingindo que estava doente. E, efetivamente, só de dizer essas palavras, a febre aumentou e pude ficar três dias na cama recordando o cheiro de umidade de dentro da barraca, o perfume do bofe, sua linda benga e o sabor horrível que ainda não sei explicar por que é que a gente gosta tanto, se tem um gosto tão sem graça.

"Pica não tem gosto de nada", dizia Tia Encarna. Ela te acariciava e te dizia: "Abaixe a cabeça quando quiser desaparecer, mas fique de cabeça erguida o resto do ano, criança". E era como uma mãe, como uma tia, e nós todas ficávamos ali em pé, na casa dela, olhando o menino roubado do Parque, em parte porque ela tinha nos ensinado a resistir, a nos defender, a fingir que éramos pessoas amorosas castigadas pelo sistema, a sorrir na fila do supermercado, a dizer sempre obrigada e por favor, o tempo todo. E desculpe também, muitas desculpas, que é o que as pessoas gostam de escutar de putas como a gente.

Por isso, desde que conheci Tia Encarna, adquiri o costume de mentir bastante à ralé e lhes digo por favor e muito obrigado a torto e a direito, e desculpe também, em todas as cores, e as pessoas se sentem bem e deixam de me incomodar por um instante.

Cada cachorrada de alguém é como uma dor de cabeça que dura dias. Uma enxaqueca potente que não passa por nada. Todo dia os insultos, o escárnio. O tempo todo o desamor, a falta de respeito. As malandragens *criollas* dos clientes, os golpes, a exploração dos bofes, a submissão, a estupidez de nos julgarmos objetos de desejo, a solidão, a aids, os saltos dos sapatos que se partem, as notícias das mortas, das assassinadas, as brigas dentro do clã, por causa de homens, de fofocas, pelo disse me disse. Tudo isso que parece não acabar nunca. As porradas, acima de tudo, as porradas que o mundo nos dá, às escuras, no momento mais inesperado. As porradas que vinham imediatamente depois de trepar. Todas tínhamos passado por isso.

Tia Encarna nos dizia que o menos importante do mundo era o pau dos homens. Que tínhamos o nosso próprio entre as pernas e podíamos nos agarrar a ele quando atravessássemos momentos de carne fraca. Que era preciso trabalhar para nós mesmas, não para pagar agradinho ao bofe. E que, quando nos deitássemos com um bofe escândalo (que era como a gente chamava com quem trepávamos por prazer, e não por dinheiro), o fizéssemos pagar de alguma maneira pelo nosso corpo.

Também nos dizia que a tristeza era muito grande aos cento e setenta e oito anos. Às vezes, sentia que as pernas lhe pesavam como sacos de cimento, que os órgãos se tornavam de pedra dentro do corpo e o coração ia endurecendo por falta de uso. Chorava pelos limites aos quais estávamos confinadas. Também lamentava as injustiças. Como no caso de María, a Muda, a quem praticamente havia ressuscitado, quando a encontrou, encolhida numa lixeira, desnutrida, coberta de piolhos, e a levou para viver com ela. Deu-lhe uma família, as travestis mais velhas foram suas madrinhas, o batismo foi como um filme neorrealista.

Aos treze anos, depois de uma semana naquele casarão rosado, María foi batizada como travesti. A cerimônia aconteceu no quintal. Enquanto comiam torrone e bebiam sidra, a flor de um dos cactos se abriu de chofre, ali, diante dos olhos de todas, e começou a soltar um cheiro de carne podre que as deixou desconcertadas. Uma delas perguntou em voz alta como podia uma flor feder daquela forma, e outra, que era uma sabichona, respondeu que certas flores são polinizadas pelas moscas e, por isto, precisam cheirar a carne podre: para atraí-las. Mas nem assim deixam de ser bonitas e magnéticas, capazes de emudecer um grupo de travestis que exercem seu ritual íntimo de batismos e fidelidades.

Aquela foi a época das flores em nosso clã, apesar da condenação à morte de que éramos vítimas. Foi a época de nos cheirarmos umas às outras como cachorras e de nos polinizarmos. A chegada do Brilho dos Olhos havia convertido nosso ressentimento em vontade de melhorar. A Tucu se matriculou no ensino médio para adultos, porque não queria morrer sem levar o diploma para a mãe e lhe dizer: "Olha, aqui está, viu que pude fazer alguma coisa por mim?". Só que a trataram tão mal na escola em que se matriculou que, depois do primeiro dia de aula, apareceu chorando no Parque e se pôs a gritar que, naquela noite, ia trepar sem camisinha até cansar, pois nada mais importava. Tia Encarna lhe estapeou a cara e a mandou descansar na pensão.

A cura para todos os nossos males era o descanso. Para qualquer enfermidade do corpo ou da alma, Tia Encarna receitava repouso. Era o maior presente que alguém nos dera nessa vida: deixar-nos descansar e ela se ocupar da vigília.

Orbitávamos ao seu redor. Em sua casa, sempre havia algo para comer e, como naqueles tempos passávamos fome direto, ela nos recebia com braços abertos e pão sobre a mesa. De dia eu levava uma vida de estudante medíocre, e a pobreza era muita, posso dizer isso agora, e a fome era muita. O fato de alimentar-se apenas de pão deforma o corpo, deixa-o triste. A ausência de cor na comida é triste e desmoralizante. Mas na casa da Tia Encarna a despensa estava sempre cheia; se faltava alguma coisa, ela nos dava: farinha, açúcar, óleo, erva-mate, o que não podia faltar em nenhuma casa. E dizia a todas nós que tampouco podia faltar em nosso quarto uma imagem da Virgen del Valle, que era morena e rebelde e tão poderosa que torcia destinos.

Conhecemos um único amor da Tia Encarna: um romance tranquilo e duradouro com um homem sem cabeça. Por aqueles anos, apareceu na cidade um sem-número de refugiados de guerras travadas na África. Chegaram ao nosso país com a areia do deserto ainda grudada nos sapatos, e dizia-se que tinham perdido a cabeça em combate. As mulheres enlouqueceram com eles porque sua ternura, sua sensualidade e sua disposição para a brincadeira eram lendárias. Tinham sofrido muitas penúrias na guerra, quase as mesmas que as travestis na rua, e isso os converteu em objetos de desejo e heróis de guerra ao mesmo tempo. Os Homens Sem Cabeça fizeram cursos rápidos de castelhano para poderem falar nossa língua, e foi assim que soubemos que haviam perdido a cabeça e agora pensavam com todo o corpo e só recordavam as coisas que tinham sentido com a pele.

Os Homens Sem Cabeça chegaram com sua nova doçura e decepcionaram ternamente as mulheres que os esperavam com as pernas abertas e o sexo em flor, porque eles preferiram as travestis da região. Nós não sabíamos por que nos tinham escolhido, mesmo assim, muitas se casaram e envelheceram junto aos seus amados decapitados. Eles deixavam claro que se enamoravam de nós porque ao nosso lado era mais fácil compartilhar o trauma, deixá-lo subir pelas paredes ou confiná-lo quando era necessário. Contudo, as mulheres levaram como ofensa aquela esnobada e espalharam comentários ladinos e mal-intencionados sobre nossos hóspedes, que, ao fim e ao cabo, estavam assim por terem lutado por um mundo melhor. Diziam que fazer amor com um deles era como ir à praia, depois não se conseguia tirar a areia do rabo por dias e dias. Mas não nos importávamos com o que falavam.

Tia Encarna o conheceu no Hangar 18, o bar gay mais pecaminoso que existia em nossa cidade, o antro mais sacrílego e dionisíaco, onde nos encontrávamos as bruacas, as bichas e as sapatas de então. A relação entre Encarna e seu Homem Sem Cabeça havia começado como um acerto comercial do mais próspero, porque, quando se conheceram, a Tia estava na plenitude produtiva do seu corpo. Para ela, os clientes não representavam o menor desgaste. De modo que podia se deitar com dez homens por noite, algo que acontecia com frequência, e despertar no outro dia fresca e enérgica como um vento de verão, abraçada ao seu Homem Sem Cabeça, que vivia tranquilamente no próprio apartamento graças a uma aposentadoria de veterano de guerra. Os Homens Sem Cabeça provinham de regiões incompreensíveis para nossa cultura escassa, não conseguíamos entender por que tinham ocorrido esses conflitos sangrentos que os expulsaram até nossa cidade, mas eram tudo o que qualquer travesti podia esperar da sorte. Mesmo assim, escasseavam, é claro, pois muitos terminavam em manicômios ou decidiam emigrar para cidades próximas ao mar. Os poucos que ficaram em Córdoba logo criaram raízes, e aquele ponto de fuga se fechou para sempre.

Aquele noivado sem idade representava uma bênção incomum na vida das travestis. Ele não apenas amava Encarna, mas também tudo que a rodeava, nós incluídas, suas filhas putativas. Ver Tia Encarna nos braços daquele homem nos dava a esperança de que algum dia também nos acariciariam daquele jeito. O Homem Sem Cabeça era a delícia de todas as nossas reuniões - e certa vez até se animou a nos convidar para jantar em seu apartamento. Fomos todas não só para não chatear Tia Encarna, que era mais rancorosa que santo milagreiro e mais brava que os deuses gregos, mas porque queríamos ver com nossos próprios olhos sua tranquila hospitalidade, suas pinturas aquarela, seu cão bravo adormecido aos pés da cama, sua biblioteca inesgotável, que jamais poderíamos ler nem que nos sobrasse tempo, porque os livros estavam num idioma incompreensível para nós.

Eu gostava dele em especial porque, numa noite, nos salvou, - a María, a Muda, e a mim - das mandíbulas de dois alibãs, bem perto do casarão rosado. Um deles já estava violento e me segurava dobrada contra um automóvel porque foram avisados que duas travestis andavam roubando no mercadinho do bairro. O Homem Sem Cabeça apareceu como uma prolongação da sombra que o ocultava, aproximou-se com sua amabilidade natural, falou dois minutos de lado com os policiais, e eles nos deixaram ir. A palavra de um homem decapitado valia mais que a nossa.

Segundo Encarna, a cada manhã O Homem Sem Cabeça rezava aos seus deuses antes de o sol aparecer entre os edifícios e, com aquela atitude gloriosa de decapitado místico, recebia a injeção de vida que significava o primeiro raio de sol da manhã. Depois, deslizava até a cozinha e punha a chaleira no fogo enquanto organizava os ingredientes do mate do jeito que sua namorada tirana gostava: um dedo de burrito para o aroma, um dedo de piperina, a erva filtrada, sem pó, uma colherada de mel e uma tira de casca de laranja. Depois ia até a padaria e voltava com *medialunas* recém-assadas que se desmanchavam nas toalhas de mesa. Chegava sempre no momento preciso em que a chaleira estava pronta para o primeiro mate do dia.

Então ia despertar Tia Encarna, como se na verdade não a trouxesse do sonho, e sim de um feitiço de contos de fadas. Ela se enrolava na cama e se deixava atender com devoção. "Como você está linda, meu amor", eram as primeiras palavras que nossa mãe adotiva escutava toda vez que despertava ali. E isso era suficiente para o horror do mundo arrefecer. Um sortilégio breve com o qual sobreviver dia a dia às nossas mortes, à morte de nossas irmãs, às desgraças alheias, sempre tão nossas.

Em algum momento, chegaram inclusive a anunciar que iriam se casar, e eu fui escolhida como madrinha. Seriam casados por nossa curandeira, nossa Machi Travesti, a única autorizada a celebrar uma cerimônia tão importante, a que nos orientava o espírito e a carne e era tanto capaz de nos acalmar com suas beberagens de raízes, cipós e cactos como de nos fazer viajar à origem de nossa dor, além de injetar silicone líquido, tudo pelo mesmo preço.

Mas os planos da cerimônia foram adiados não tanto por decisão dele quanto por causa dela, que sempre andava tentando salvar o mundo, aquele pequeno mundo travesti que ela havia construído para rodear sua solidão. Tia Encarna podia passar a noite sentada numa delegacia sem dormir, até conseguir tirar do xadrez alguma de nós, e era igualmente capaz de passar um dia inteiro tentando extirpar algum vírus de nosso corpo ou algum pelo encravado do bigode. Contudo, o amor seguia intacto entre ela e O Homem Sem Cabeça. Ele chegava de visita toda sexta de tarde, na hora em que as crianças saíam da escola vizinha, e por isso sempre associávamos sua chegada às risadas e aos gritos infantis que se ouviam pela calçada. Ficava até segunda-feira de manhã e depois desaparecia até a sexta seguinte.

Nessas noites em que estava conosco, quando Tia Encarna adormecia e começava a roncar como um minotauro, ele saía na ponta dos pés do quarto e sentava-se no quintal, caso fizesse tempo bom, ou na cozinha com o forno aceso se estivesse frio. Ali punha seu corpo decapitado a pensar, pois O Homem Sem Cabeça era um insone nato: é bem conhecido que um dos grandes defeitos de sua raça é a falta de sono. E nós, que já o considerávamos nosso, nos aproveitávamos de sua doçura e lhe pedíamos que nos ajudasse com a maquiagem para sairmos ao *trottoir*, e ele recordava sempre nossos aniversários e era mais que atento às nossas tristezas e sofrimentos.

O Homem Sem Cabeça também demonstrava talento com o violão. E atrasava nossa partida para o Parque quando se punha a tocar canções tristes que nos faziam chorar lágrimas de mulher e questionarmos por que a noite era tão longa. Às vezes, Tia Encarna se juntava e cantava profundamente suas melodias funestas. Então o mundo se detinha. Pássaros muito escuros pousavam sobre os muros e as sacadas, e todas ficávamos quietas, sem nos atrever a fazer qualquer ruído com nossa respiração, sem nem sequer piscar, por medo de cortar o feitiço. Ver aqueles dois seres fazer música juntos era como vê-los fazer amor, de maneira tão diáfana que não precisava intimidade.

Na cozinha, em cima da geladeira, reinava uma imagem de gesso da Virgem de Guadalupe, e em certa noite na qual permanecemos escutando Tia Encarna cantar junto ao violão do namorado, María, a Muda, apontou, estupefata, para a Virgenzinha, e ficamos todas impávidas diante do milagre: a Santíssima Guadalupana tinha começado a chorar com a canção e as lágrimas resvalavam pelo esmalte que a cobria. Nunca soubemos se foi a umidade daquele dia ou a manifestação da divindade que operou o milagre, o certo é que foi fascinante e nos apertou o coração de beleza.

Foi evidente que ele também se emocionou, dado que alguns dias depois apareceu um tabelião na pensão pedindo para Tia Encarna ler uns papéis que pareciam muito sérios, nos quais se estabelecia que, caso algo acontecesse ao Homem Sem Cabeça, seria ela quem ficaria com todos os pertences dele. Testemunhamos quando Tia Encarna assinou os papéis de sua herança e até vimos certo brilho de ambição nos seus olhos e um esgar de espanto na boca por ter de colocar seu nome masculino naqueles papéis.

Conhecíamos o afã de Tia Encarna pela riqueza, e aquele testamento não nos deixava de todo tranquilas. Quando o tabelião se retirou e restamos as de sempre, Tia Encarna disse que se sentia especialmente generosa e mandou trazer uma garrafa de champanhe, como se tivesse motivo para celebrar, justamente no momento em que a televisão da cozinha passava a notícia de que Cris Miró tinha morrido, e todas permanecemos em silêncio e engolimos em seco.

Eu tinha apenas treze anos, ainda não compreendia o que se passava dentro de mim, não podia traduzir em palavras nada disso. Então, apareceu Cris Miró na televisão. Nos programas mais importantes daqueles anos, porque era a primeira vedete travesti da Argentina, a primeira a ser reconhecida pelos meios de comunicação. Cris sentou-se nas poltronas mais caras da telinha, com as apresentadoras mais louras, mais bobas, mais conservadoras do momento. E era a mais bela.

Tinha um cabelo comprido que chegava à cintura, preto e crespo, como um manto enrugado que marcava o rosto mais bonito já visto, um rosto com uma soberania, uma paz, uma amabilidade inconcebível no horror da televisão, que descobria por fim que nós, as travestis, existíamos. Eu assisti à sua aparição quando ainda era um menino e pensei: *Eu também quero ser assim*. Queria aquilo para mim. O desconcerto do travestismo. A desolação daquela prática. Foi tamanha a revelação que, contra o vento e a maré, também deixei o cabelo crescer, escolhi um nome de mulher e fiquei atenta, a partir de então, ao chamado do meu destino.

Todas a admirávamos, todas a amávamos. Era um exemplo. Era a melhor de nós, disposta à vista de todos. Por isso a notícia de sua morte nos causou tanta tristeza e nos deixou mudas. Não conseguimos mais beber o champanhe que Tia Encarna abriu: tinha morrido a nossa Evita, nosso modelo e referência, a mais famosa e melhor de todas nós. Ninguém quis falar porque ninguém sabia o que dizer daquela morte tão precoce. Contudo, falávamos com o olhar. Que absurdo, no mesmo dia em que Tia Encarna se convertia em herdeira do seu Homem Sem Cabeça, deram-nos a notícia mais triste do mundo.

Ainda lembro aquele silêncio e o que a Boliviana disse lá dos fundos do quintal, que ela não gostava nada da Cris. Que tinha a mandíbula muito larga, disse. Todas falamos ao mesmo tempo para que se calasse. Que sumisse de nossas vistas.

Desde a chegada do menino à pensão, tudo começou a mudar entre Tia Encarna e seu Homem Sem Cabeça. Todas nós pensamos que agora tínhamos nosso Jesus e nossa Maria e nosso José, nossa própria sagrada família, uma família que parecia com a gente e da qual éramos filhas.

Para nós, ninguém parecia melhor pai para o menino que O Homem Sem Cabeça, porque os homens como ele vinham de longe, sabiam histórias, contavam o que interessava a alguém saber do mundo. Eram a novidade tão grata na monotonia da nossa existência prostibular. Aqueles homens decapitados que traziam malas cheias de receitas de comidas exóticas, de plantas medicinais, de novas fórmulas de semear no ar e na água. De amar. Homens como ele nos ensinavam línguas estrangeiras, carícias nunca vistas, que nos faziam sentir a pele como um guardanapo de papel muito fino, faziam-nos sentir transparentes, como se, de repente, Deus pudesse nos olhar por dentro.

Mas Tia Encarna ficou arisca e começou a repudiar as visitas do Homem Sem Cabeça, com seu rabo de besta malévola, envenenando-o com comentários hostis por causa de sua bondade, por sua liberdade, pela excessiva amabilidade com que nos tratava a todas, como se quisesse que fôssemos todas suas namoradas. O que ele estava pensando? Esquecia-se que tinha sido um cliente que pagara por ela?

Na primeira vez que O Homem Sem Cabeça quis tomar O Brilho dos Olhos nos braços, ela o mediu com o olhar e disse que nenhum filho seu seria ninado por um decapitado.

María, a Muda, que estava por lá, lendo a discussão nos lábios, repreendeu-a na mesma hora. Mas Tia Encarna já tinha encarnado seu personagem, já descobrira de onde vinha a água e não estava disposta a cortar o jorro. O Homem Sem Cabeça, amável até o fim, limitou-se a retroceder até a porta e perguntar o que era preciso, pois tinha contatos para resolver a situação se a decisão de adotar o menino fosse definitiva e, quando as guerras se encerrassem, levaria os dois para o país dele, Tia Encarna e O Brilho dos Olhos, para comerem frutos da mairo, a árvore da qual Os Homens Sem Cabeça se alimentavam e a razão de serem tão bons quanto o mel silvestre.

Em troca, porém, recebeu impropérios, queixas, reclamações infundadas e escárnio acerca de sua boa índole. Ele não se deixou vencer. Suportava. Suportava. Suportava. Até que numa tarde Tia Encarna decidiu não lhe abrir a porta e proibiu as mulheres da família de trocarem uma só palavra com ele, pois, se vislumbrasse alguma traição da nossa parte, nos desterraria, nos excomungaria, nos exilaria sem exceção. O Homem Sem Cabeça permaneceu um par de noites fincado debaixo do poste em frente. Depois partiu em silêncio e nunca mais voltamos a vê-lo. Algumas de nós, por piedade, numa ocasião, rondamos sua casa, com a ilusão de vê-lo com seu avental, preparando os manjares que só ele cozinhava, mas que nada.

Os dias passaram, e tudo foi se assentando, como o barro no leito do rio. As coisas se tornaram pesadas e familiares. A fascinação pelo Brilho dos Olhos nos consolou pela partida de nosso padrasto.

E, no momento em que já o tínhamos esquecido, bateram na porta na hora da telenovela; ao abrir, encontramos cinco Homens Sem Cabeça, elegantes e sofridos, que perguntaram por Tia Encarna. Fomos buscá-la imediatamente, e ela saiu com o menino nos braços, um pouco para se proteger e outro pouco para lhes dar medo. No entanto, os Homens Sem Cabeça apenas entregaram a ela um envelope vermelho no qual estava a última carta que o namorado da Tia Encarna escreveu para despedir-se. Na carta dizia que ela não se sentisse culpada de jeito nenhum, que ele já andava meio cansado de viver, só isso, e que, se ela o rechaçava, não queria saber de mais nada. Que foi feliz, que recordava sua pele cheia de hematomas como um mapa no qual se aprende a sonhar com futuras viagens.

Agradecia-lhe, sobretudo, as risadas e o piso fresco do quintal à sombra dos jacarandás que cresciam nas jardineiras. Nunca vira algo mais bonito que aquela tarde em que cantou para que o menino adormecesse ao toque do seu violão; valia mais partir com um sorriso, mesmo que ele não tivesse boca nem cabeça. E, por último, confirmava-a naquela carta como herdeira de todos os seus bens, de todos os seus amigos e amores, a mulher mais amada sobre a Terra, a muito querida, a inesquecível Tia Encarna, mãe de todos os monstros.

Os Homens Sem Cabeça não foram convidados a entrar, mas não se importaram. Ofereceram condolências e puseram à disposição da casa todos os contatos possíveis, deixaram anotados seus números de telefone e partiram em procissão silenciosa e decapitada pelas ruas do bairro. Dava tanta pena aquilo tudo que choramos até empapar nossos vestidos, porque nosso padrasto, aquele pai elegido que não batia em nós, nem nos julgava, nem nos condenava à mediocridade havia morrido, tão nobre e tão apaixonado como sempre. Contudo, ele era elegante até na sua dor, discreto como uma sombra.

Certamente já estava no céu das travestis, onde seria, por fim, recompensado pela esnobada do seu maior amor.

Tia Encarna foi a única que não chorou, apenas pediu a María, a Muda, que levasse o menino ao seu quarto, no andar de cima, e que o fizesse escutar algum disco da Gal Costa. Trancou-se no seu quarto, soltou os botões do decote para liberar o coração, ajoelhou-se ao pé da cama e, aí sim, chorou e chorou. Olhava pela janela que dava no quintal coberto de heras e chorava devagarinho, pela culpa por ter esnobado alguns dias antes de sua morte o namorado decapitado.

Lá fora, no quintal, com as lágrimas que torcemos de nossos vestidos e as que continuamos derramando por ele, enchemos uma piscina de plástico e tomamos um banho longo e pacífico, em silêncio, desnudas, enquanto a tarde ia caindo vermelha e nossa dor a enrubescia ainda mais.

Laura era o nome daquela garota grávida que nos acompanhava em nossas noites de rondas proibidas. A única que havia nascido com uma flor carnívora entre as pernas, diferente de nós, que tínhamos um animal adormecido bem guardado na calcinha ou uma vagina aberta com bisturi limpo. Laura já estava grávida quando cheguei ao Parque. Uma gravidez de cinco meses, bem cuidada, pois na verdade era dupla e acima da qual reinava a incógnita porque ela decidira não saber o sexo nem a condição de irmandade das duas crianças que levava no ventre.

Na primeira noite em que a vi, usava o cabelo solto e longo até a cintura, todo bagunçado, era perceptível que o penteava de vez em quando para conseguir uma lisura eletrizada que o arruinava por completo. Mas a beleza da questão não era isso. A beleza residia no fato de Laura adornar essa cabeleira longa e ressecada com carrapichos e folhas do seu improvisado lugar de trabalho: os cantos escuros do Parque onde se dedicava à fornicação anárquica ao ar livre. Bastava-lhe se jogar de costas e procedia aos úmidos intercâmbios com os milhares de homens que a procuravam. Até no seu estado de gravidez contava com a supremacia da sua vagina acima de nós.

Chegava e partia do Parque de bicicleta e gostava de trabalhar cedo, nunca além das três da manhã. "Continuamos a ser pobres", dizia, enquanto guardava entre as tetas o arrecadado no expediente.

Assegurava que a gravidez a tinha salvado, que antes levava uma vida da qual era melhor não se lembrar. Estivera presa por quase dois anos por narcotráfico. No cárcere, tatuou no antebraço esquerdo, ela mesma, as palavras "Maldita vida", decoradas com algumas flores que se emaranhavam entre as letras. Laura conhecia todos os vícios e todas as desventuras, tinha apunhalado o pai nas costas quando este expulsava sua mãe com bicudas na cara (depois o arrastou até a calçada e o deixou jogado ali, para que alguém se encarregasse). Era tão jovem como nós, não passava dos vinte e três. Não sabia quem ou quais eram os pais dos dois filhos que levava dentro de si, porém, mal soube que estava grávida, fez o exame para se certificar de que não tinha HIV e decidiu mudar de vida. Decidiu economizar todo o dinheiro possível para que, quando as crianças nascessem, ela não precisasse voltar à rua.

Não se prostituía somente: na cesta de sua bicicleta, levava comida para vender. Às vezes eram café e *medialunas*; outras vezes, empanadas ou fatias de pizza fria. Houve noites de calor em que levava fruta, que mantinha fresca com gelo e sal grosso. Escrevia-nos bilhetes que escondia em nossas bolsas sem que notássemos e, quando estávamos distraídas, nos surpreendia com um tapão direto em nossos paus: "Como anda a Camilita?", "Como anda a Encarnita?", "Como anda a Mariita?", e zás, nos apertava o sexo com sua mãozinha minúscula. A gente se desmanchava de tanto rir e agradecia sua ternura brutal. Era sempre uma festa ver sua bicicleta chegar, soando como uma caixa cheia de campainhas, sua pança enorme que era como um augúrio, sua decisão de mudar tudo, sua maneira de nos demonstrar que era possível prescindir de quase tudo que nos disseram ser imprescindível.

Aos dezesseis, escapou de uma prisão para menores saltando pelos telhados como um demônio confuso e se tornou prostituta por instinto. Aos vinte e um, explodiu a balas os testículos de um ex-namorado cafetão e deixou sua sogra inconsciente na base da porrada. Tentou o suicídio mais de uma vez e até chegou a ver a luz branca no fim do túnel em alguma dessas ocasiões. Mas seguia ali conosco, seu cabelo sempre salpicado de capim flutuando no rastro de sua bicicleta, como se fossem grilos.

No dia em que seus filhos nasceram, estávamos todas esperando no quarto ao lado, uma salinha pintada de celeste, munidas de todos os talismãs de que éramos capazes. Assistíamos ao fim da novela numa televisão de doze polegadas, mas mais atentas ao ritmo das contrações de nossa parturiente. Nadina, que era enfermeiro de dia, sabia tudo acerca de partos porque tinha sido criado no meio da montanha e ajudara sua mãe a trazer vários irmãos ao mundo, assim como cabras, bezerros e cães atravessados. Estávamos nervosas, a possibilidade de ver um parto nos deixava enlouquecidas. Para algumas, era a primeira vez que veríamos uma vagina assim, de frente, e a possibilidade nos extasiava, como quando se está para fazer algo que nos vai mudar para sempre.

As horas passavam, a mãe suava, Tia Encarna e O Brilho dormiam numa poltrona que lhes servia de cama. Nós, as rainhas magas, chegamos com tudo o que tínhamos: ouro, mirra e incenso, mas também pau-santo para afugentar os maus pensamentos, e maconha para que as crianças fossem divertidas, e licores para que os duendes baixassem, e santinhos da Defunta Correa para nunca faltar leite e de São Caetano para nunca faltar trabalho, para que nunca seja interrompida a vida que é bem vivida.

A exuberância de nossa fé se condensava no ar como a fumaça de um cassino clandestino. Algumas de nós cantávamos, outras dizíamos aquilo que em geral se diz a uma mãe, que empurrasse, força, que se esforçasse mais, enquanto enxugávamos sua testa. Nos intervalos de dor, ela nos agradecia, a todas as rainhas magas, por estarmos ali, por termos seguido a estrela. De um canto, O Brilho dos Olhos olhava tranquilo, e isso nos tranquilizava porque sabíamos que era clarividente.

Quando a cabeça do primeiro bebê estava para sair e as mãos de Nadina se preparavam para receber a vida, pensei de chofre que não deviam nascer. Gostaria de dizer tudo ao contrário daquilo que minhas amigas diziam: eu não queria que nascessem. O que desejava no fundo era que a mãe os conservasse dentro de si para sempre, para que eles não tivessem que sobrecarregá-la a vida toda. Queria lhes dizer que nada era seguro aqui, que os filhos das prostitutas não estavam a salvo. Enquanto todas faziam força pelo nascimento, eu pedia por dentro que o tempo se detivesse. No entanto, as crianças já vinham deslizando pelo corredor da vida, e a apropriação delas por parte da cultura já era inevitável. Independentemente do que eu desejasse, a cultura podia tudo. Mesmo que aqui teus pais tentem te assassinar, mesmo que os amigos te esqueçam, mesmo que os homens apontem e disparem.

De sua poltrona, com O Brilho nos braços, Tia Encarna chorava. "Também te pari", parecia sussurrar à sua cria, "só que por um caminho de galhos e de sangue. Quando te trouxe ao mundo, eu também gritei de dor. Parada diante da morte, troquei minha memória por tua felicidade, minha saúde pela tua. E os deuses escutaram e me disseram que você era meu. E te peguei nos braços e te amamentei com o rio oleoso que brotava do meu peito, e o mar chegou à cidade e trouxe consigo peixes nunca vistos que cantavam para te ninar canções salgadas como lágrimas, e a lua baixou até bem pertinho, e eu agradeci ao vento porque o sentia no teu rosto e agradeci à areia porque era o quintal de nossa casa, e também chegaram as rainhas magas com suas bugigangas de presentes, assustadas, com os dentes cantando de medo na boca. Vieste ao mundo por um corredor de sangue e de gelo, o alento se tornava neve no ar, e tu, rei do inverno, ali onde vão morrer todas as coisas, fizestes renascer minha carne que estava completamente morta, como um punhado de hera seca. Teu nascimento não é menor que este. E eu não sou menos tua mãe por não ter entre as pernas uma ferida aberta".

E Tia Encarna chorava e chorava, como se tivesse culpa por não ter sido mãe daquele modo, como estava ocorrendo no quarto ao lado. Como se a magoasse o fato de Laura estar parindo e o parto fosse como eram todos os partos. Ou talvez fossem ciúmes, porque não havíamos nos esquecido um só segundo de olhar para ela, porque ali ao lado algumas encorajavam a vida. E aquilo nunca terminaria.

Mas para Tia Encarna todas as travestis éramos estéreis como em *Yerma*. Todas estávamos ressecadas como um canal de irrigação esquecido; a única fértil, a única para quem alguém sussurrou aqueles dois passarinhos no ventre, era Laura. E, no breve instante do seu raciocínio, Laura era a inimiga. Mas o que podíamos saber a respeito, nós que estávamos encantadas com a menina e o menino que vimos aparecer nos braços de Nadina, que chorava como uma noiva no altar, enquanto Laura, lá da banheira cheia d'água onde dera à luz, esgotada pela dor e pelo acontecimento, dizia que era o dia mais feliz de sua vida porque estávamos todas ali.

Os restos do nascimento jaziam aos pés da banheira: as tripas e o sangue.

— Mas que bela placenta — disse uma de nós, e todas arrebentamos em gargalhadas que despertaram Tia Encarna lá do seu devaneio.

— Já nasceram? — perguntou e, então, aproximou-se com seu menino nos braços e falou para a mãe, com os olhos afogados em lágrimas, que ambos tinham nascido, um casalzinho perfeito. — Agora você vai ter com quem brincar — falou para o filho e voltou para o sofá, e todas nos calamos.

Nadina ficou para cuidar de Laura e suas duas crias durante três meses. De dia, era um correto enfermeiro; de noite, convertia-se numa belezura de um metro e oitenta que deixava perturbados os transeuntes que passavam por ela.

As primeiras semanas foram tranquilas. Nadina se encarregava de tudo, a mãe se recuperava pouco a pouco da loucura do parto, as travestis iam para o trabalho e deixavam a casa em silêncio. No começo do segundo mês, nasceu entre Laura e Nadina o romance mais natural e respeitoso que nossos olhos já tinham visto. Nadina se meteu no coração da mãe pela via sanguínea, toda vez que aparecia para ela vestida de enfermeiro: alto, silencioso, um homem capaz de falar em três idiomas com uma parcimônia de *onnagata*, um ator encarnando papel feminino. Ficou vivendo com a gente como quem não quer nada com a coisa. Laura tinha se enamorado do enfermeiro, mas também da companheira de estrada, que vinha no mesmo corpo.

Acostumada aos homens, à doentia paixão pelas braguilhas, Nadina de início parecia se negar àquele sentimento que se aninhava em sua garganta e na boca do estômago. O que se pode fazer com a certeza de que o olhar do outro diz a mesma coisa que o nosso, que é possível por um momento amar alguém, que é possível se salvar, que a felicidade existe? Como alguém como Nadina poderia saber, alguém que recebera amor somente de machos espancadores, que a ternura e a suavidade de um amor como o que Laura oferecia podiam existir? Contudo, a presença de Laura e dos bebês foi mais eloquente, e o improvisado José que chegou à vida deles se entregou por completo a eles, e tudo mudou para melhor.

Laura não voltou ao Parque. Havia economizado para isso, para ficar em casa com seus filhos, a quem batizou Nereo e Margarita. Ambos receberam o nome de Nadina, que os reconheceu diante da lei como pai. Nadina tampouco voltou ao Parque. Dedicou-se a cuidar de velhos moribundos, como enfermeiro. Pelas noites, aquelas duas mulheres deitavam-se na cama com os bebês no meio e assistiam à novela e falavam de nós, que tínhamos ficado no Parque, e diziam: amanhã vamos convidá-las para jantar.

Nenhuma das que acreditávamos conhecer Nadina e saber tudo das travestis tínhamos palavras para sua história com Laura. Não queríamos nem imaginar como tinham relaçoes, só de pensar em uma vagina ficávamos enjoadas, sentindo calafrios de rejeição. Porém elas se amavam todas as noites; não sabíamos o segredo, mas sabíamos que era assim, pelo saudável aspecto que exibiam na cútis e no cabelo.

Com três meses, Nadina decidiu levar a família para a casa de sua falecida mãe, em Unquillo, a cerca de quarenta quilômetros da cidade. E lá se foram, para começar de novo nas serras que rodeavam a capital. Montaram uma loja de material de limpeza. De tanto em tanto, Laura aparecia no Parque com sua mochila cheia de comida, mas não ia mais para vender, e sim para dividir com a gente. Ainda que tivesse perdido o hábito de meter a mão em nossa virilha, estava mais expansiva que nunca, como se o amor tivesse lhe retirado as carcaças de resistência ao mundo, porque seus filhos cresciam fortes e saudáveis.

Enquanto isso, a vida seguia, e O Brilho também ficava mais forte a cada dia. Colocávamos sob o sol de inverno para que ganhasse vigor. Tia Encarna andava mansa, tratava-nos bem, organizava os nhoques aos domingos, não tinha mais voltado ao Parque para trabalhar. Sabíamos que guardava uma pequena fortuna, engordada com a herança do namorado morto. Falava-se em voz baixa que um homem, que certa vez quis lhe arrebatar um item do tesouro, tinha ficado literalmente sem uma das mãos, pois Tia Encarna a cortara com um machado. Ela mesma foi ao pronto-socorro com o mutilado e, mais tarde, seguiu desacompanhada até a delegacia, para declarar que podia explicar tudo, que agira em legítima defesa. E os policiais gostaram tanto dela que registraram a ocorrência e deixaram-na ir, não sem antes perguntar onde era o seu ponto, pois, apesar dos hematomas e da bochecha cortada, Tia Encarna era a ferocidade da beleza. Não a beleza em sua inteireza, mas uma fração enferma e inesquecível: a mais feroz.

A Tia tinha um punhado de joias compradas ao longo da vida: alguns cristais Swarovski, um anel de ouro vermelho (o ouro mais lindo do mundo), um par de brincos de esmeralda, um rubi de verdade, uma serpente enrolada em diamantes.

Às vezes, para demonstrar confiança, te pegava pela mão e levava para o quarto verde dela, então sacava de debaixo da cama a panela onde guardava as joias e dizia: "Veja, veja só como o lápis-lazúli te ressalta. Quem sabe quando morrer eu te surpreenda com uma herança". Só depois a gente descobria que ela dizia a mesma coisa para todas as outras e entendia do que se tratava tudo aquilo.

Tratava-se de mendigar amor, esse monstro espantoso. Tudo se reduzia, no fundo, à febre do amor. Pedir amor, suplicar por ele de mil maneiras, com as astúcias mais egoístas e mais falsas que se pudessem conceber, valia de tudo. Mas a gente se manteve ao lado dela do mesmo jeito. Quando uma porta se fecha, uma janela se abre, mas é preciso ser muito ágil para entrar ou sair pela janela. A morte do seu melhor namorado envolvia Tia Encarna como um xale, e ela complicava a vida de todo mundo como uma menina malcriada. E quem de nós se atrevia a lhe dizer algo? Além disso, o menino a amansou só por existir, tinha o conjuro exato para cada ferida. O Brilho dos Olhos devolveu-lhe a memória. Sentava-se na varanda para fumar um beque e olhar fotos velhas e, como ela era velha demais, suas fotos mais antigas eram daquelas tipo de papelão grosso, desgastado, com imagens em sépia, nas quais ela reluzia em suntuosos vestidos de princesa. Tia Encarna sempre foi majestosa.

Aos quatro, aos seis, aos dez anos, eu chorava de medo. Tinha aprendido a chorar em silêncio. Na minha casa e com um pai como o meu, era proibido chorar. Podia-se ficar em silêncio, descontar a raiva enquanto se rachava lenha, sair na porrada com outros meninos do bairro, dar murros nas paredes, mas chorar, nunca. E, menos ainda, chorar de medo. De maneira que aprendi a chorar em silêncio, no banheiro, no meu quarto, a caminho do colégio. Meu uso particular daquilo que só era permitido às mulheres. Chorar. Regozijava-me naquele pranto, permitia-me ser protagonista do meu melodrama boiola.

Como não chorar com um pai que sempre bebia além do limite? Que outra coisa podia fazer, que outra coisa, a não ser chorar? A violência dele após o álcool me aterrorizava. A casa vazia também. A casa sem minha mãe, a possibilidade de ter morrido na rua sem que eu soubesse.

Meus pais haviam se casado muito jovens. Tiveram um noivado breve, que minha mãe recordava com nostalgia porque naqueles primeiros meses ele lhe parecia o homem mais dedicado e protetor do mundo, recém-separado, com dois filhos pequenos do casamento anterior. Ela era órfã desde a adolescência e não tinha pai. Fora criada por seus avós numa casa onde teve de se virar como possível, numa época em que tudo era injusto para as mulheres, especialmente para as mulheres órfãs como minha mãe. A mãe de minha mãe havia morrido em decorrência de um aborto, e o homem que a obrigara a abortar naquelas condições viveu na casa contígua à de minha mãe até que ela se foi para viver com meu pai e se converteu em concubina.

O medo tingia tudo em minha casa. Não dependia do clima nem de uma circunstância em particular: o medo era o pai. Não teve polícia nem clientes nem crueldades que me atemorizaram mais que meu pai. Em honra à verdade, acredito que ele também sentia um medo pavoroso de mim. É possível que aí seja gestado o pranto das travestis: no terror mútuo entre o pai e sua cria travesti. A ferida se abre ao mundo, e as travestis choramos.

Um dia desmaiei na rua, não soube por quê. Desde a adolescência, tinha desmaios ocasionais. Daquela vez, despertei com o braço inchado, confusa e dolorida. Caíra em cima da bosta de cachorro e ninguém me levantou; as pessoas se esquivavam do corpo da travesti sem se atrever a olhar para ela. Fiquei de pé, untada de bosta, e caminhei até minha casa com a certeza de que o pior tinha passado: o pai estava longe, o pai já não era determinante, não havia motivo para ter medo. O desprezo das pessoas naquele dia me ofereceu uma revelação: estava sozinha, este corpo era minha responsabilidade. Nenhuma distração, nenhum amor, nenhum argumento, por irrefutável que fosse, podiam tirar a responsabilidade sobre meu corpo. Então, eu me esqueci do medo.

Nas noites de minha infância escutava meus pais saindo na porrada. Tudo é espelho: busco a violência, a provoco, estou imersa nela como numa pia batismal. Sou uma prostituta que anda pelas ruas de noite, enquanto as mulheres da minha idade dormem nas suas camas. Caminho pela rua, incluída nos planos da violência, mas também nos planos do desejo. Participo disso, repetindo a violência que me viu nascer, o habitual rito de voltar aos pais, de voltar a ser os pais, de ressuscitar todas as noites aquele morto. Nas noites em que minha mãe chora enquanto espera seu marido, nas noites em que os clientes não chegam, os amantes enganam, os bofes espancam, nas noites de minha mãe fumando no escuro, olhando as sombras, nas noites de enfiar no corpo tudo que nos expanda, tudo que nos endureça, a armadura de sombra, a sombra de não saber qual é o verdadeiro inimigo desse enfado.

A ignorância que acorrentava minha mãe à doença daquele casamento e a mim à doença do meu casamento com o mundo; a ignorância que afoga até a náusea, o colapso de minha mãe que prolonguei em mim, como um animal apanhado numa vala. Minha mãe com um menino a reboque que já começava a decepcioná-la, pobre mãe: o menino afeminado que não cedeu às cintadas, ao castigo, aos gritos e às pauladas que tentavam remediar semelhante espanto. O espanto do filho veado. E muito pior: o veado convertido em travesti. Esse espanto, o pior de todos.

Digo que fui me convertendo nesta mulher que sou agora por pura necessidade. Aquela infância de violência, com um pai que por qualquer desculpa arremessava o que tivesse por perto, tirava o cinto e castigava, enfurecia-se e batia na matéria toda ao redor: esposa, filho, matéria, cão. Aquele animal feroz, meu fantasma, meu pesadelo: tudo era horrível demais para eu querer ser homem. Não podia ser um homem naquele mundo.

O menino maricas fica num canto olhando sua mãe ler revistas enquanto fuma. Uma mulher tão jovem. Uma mulher que, pela idade, bem poderia ser sua irmã. O menino escutou sua mãe chorar. O horror de um casamento como aquele, baseado na fuga da mãe de sua própria família, a enorme responsabilidade que o pai tem com uma mulher como aquela, uma mulher que não sabe tomar decisões, que não toma decisões ou toma uma única decisão: que o marido decida por ela. Como não a escutar quando chorava, isso é impossível na pobreza: todos os quartos estão juntos.

A mulher folheia tristemente as revistas em que aparece a vida que nunca terá, os privilégios de que nunca gozará.

E chora: porque o marido é infiel, porque o marido a maltrata, porque é impossível essa realidade, não é o que sonhava, não bate com sua fantasia.

Do seu canto, o menino a desenha. Lá fora, o monte faz sua parte. Dá vontade de chorar. O menino não sabe consolar a mãe. Então a desenha. E, enquanto a olha, para poder copiá-la no seu caderno, parece falar que vá embora, que ela se anime a ir para longe viver como *hippie*, que é do que teria gostado. Que procure outro homem que não a insulte, que não bata nela, que desfrute a comida que ela prepara para ele, que goste do seu filho. Um homem que não beba, antes de todas as coisas, que não se transforme em monstro toda vez que se enche de vinho. Um homem que não bata no seu filho, que não o despreze, que não tenha nojo dele e raiva e ciúmes, que não o torture caso o encontre vestindo a tua roupa. Um homem com quem conversar à mesa, um homem que não te obrigue a ficar em silêncio enquanto ele assiste ao noticiário, um homem que durma ao teu lado, que não caia na sarjeta de tão bêbado.

Quando termina o retrato, mostra-o para sua mãe. É bonito, ela diz, sem olhá-lo, e se perde nas matérias da revista.

E depois, sem saber como, meu caminho tem início. Começo a observar minha mãe se maquiando em frente ao espelho, vejo como transforma seu rosto de mulher decepcionada no rosto da mulher bonita que viu meu pai pela primeira vez e bastou para que ele se apaixonasse. Observo-a se vestir, embelezar-se, tornar-se completa com perfume e *blush*. E a observo se despir depois, de noite, e passar hidratante no rosto e nas mãos.

Meu pai está com sua amante, com sua outra família. Sobrevivemos como podemos ao abandono. Minha mãe encara sua condição de ser um apêndice na vida do marido. Converteu-se na outra, na que recebe seu amante de vez em quando. Contudo, eu a vejo se maquiar e aprendo. E, quando fico sozinha, repito seu ritual diante do espelho, provo a roupa, eu também sou um pouco minha mãe. Eu me pinto e vejo o rosto da puta que serei mais tarde no rosto do menino. Eu me olho pelo espelho e me desejo, assim pintada com as pinturas de minha mãe, desejo-me como nunca ninguém me desejou.

E faço algo mais: meto a mão, como uma puta bem pequena, no meu vizinho da frente. Temos a mesma idade e brincamos de papai e mamãe. Já sou consciente de ser a mamãe nessa brincadeira.

Todas queríamos ser mães, era curioso até que ponto todas queríamos a mesma coisa.

A prostituição é praticada quase como uma consequência. Durante tua vida inteira te auguram a prostituição. O pai sentado à ponta da mesa, dedicado a devorar os miolos de um cabrito com pão e vinho, o pai que enche de gordura tudo o que toca e lhe repete várias vezes qual será o seu destino:

— Tu sabe o que um homem tem de fazer pra ser um homem de bem? Tem de rezar toda noite, formar uma família, ter um trabalho. Duvido que tu arranje trabalho de minissaia, com a cara pintada e o cabelinho comprido. Tira essa sainha. Tira essa pintura da cara. Tinha que tirar isso na base da surra. Tu sabe do que tu pode trabalhar desse jeito? De chupar pica, meu amigo. Sabe como eu e tua mãe vamo te encontrar um dia? Jogado numa sarjeta, com aids, com sífilis, com gonorreia, vai saber as nojeira que eu e tua mãe vamo encontrar contigo um dia. Pensa bem, usa a cabeça: tu sendo desse jeito aí, ninguém vai te querer.

Começo a dançar nos bares da cidade e de outras cidadezinhas próximas. Somos duas garotas e eu. Tenho dezoito anos. Isso é mais tolerável, pois ainda tenho resistência a ser uma puta que cobra por seu trabalho. As garotas são um amor, lindas e solidárias, têm curiosidade com minha existência travesti, perguntam tudo, e eu respondo com paciência. A gente se chama de As Fêmeas. Somos uma companhia de dançarinas da noite. Fazemos *striptease* só de vez em quando. Somos jovens, temos corpos desejáveis. Sabemos disso e tiramos vantagem.

A noite era mais daninha que qualquer outra coisa naquela época. Viver de noite envelhece, entristece. A noite é a porta aberta ao mundo onde tudo é possível. Existem coisas que não podem acontecer à luz do dia. E por aí caminho, com meus dezoito anos, ganhando a vida naqueles bares, sovina na quantidade de roupas, com poucos conhecimentos de dança, mas com confiança na minha ginga e coragem para enfrentar todos os ritmos. Tenho a determinação de não virar prostituta, acho que posso conseguir e não acabar como todas. Mas também me pergunto quem sou eu para não acatar o destino que todas acatam. Suporto as grosserias do público, as passadas de mão desrespeitosas, o pagamento miserável, tudo para não me converter num clichê. Quero ser estupidamente única, mas a verdade é que meu corpo já começou a se vender, já está na vitrine: artigo mais ou menos desejável, dependendo do cliente.

Acreditava que não havia risco de ser manchada pela oferta descarada do corpo no tablado onde dançávamos. Mas eu já havia transado, com e sem consentimento; eu já estava, como quem diz, curtida. Era um couro ressecado, velho e duro, dentro do corpo de uma criatura de dezoito anos.

No princípio, eu me travestia na casa de alguma amiga que, escondida dos pais, permitia-me a magia de converter-me em mim mesma. Transformar numa flor carnuda aquele rapazinho tímido que se escondia sob os modos de um estudioso. A coisa começou a alcançar proporções inaceitáveis numa cidade pequena, e, muito rápido, nenhuma amiga estava disposta a correr riscos por meu capricho. Então, decidi não depender de ninguém. Aprendi a costurar. Com qualquer retalho que aparecesse no caminho: lençóis velhos, cortinas em desuso, roupa descartada pela minha mãe, minhas tias, as avós, tudo servia. A roupa que fazia era rudimentar e mal costurada, mas pelo menos não tinha de pedir emprestada para ninguém sua roupa de boa menina. Aos quinze anos, vestia-me como uma puta. Não me vestia, me despia com aquelas roupas recicladas. Essa foi minha primeira independência, minha primeira rebelião. A seguinte foi conseguir um lugar onde me trocar.

A poucas quadras de minha casa, havia uma construção abandonada, que estava assim desde que chegamos à cidade. Naquela casa pela metade encontrei esconderijo para o meu mundo de mulher, ali deixava minha roupa, meus sapatos, minha maquiagem, uma lanterna e velas, para poder escapar quando quisesse e deixar de ser Cristian.

No inverno, a coisa era um pouco mais cruel, mas eu estava pouco me lixando. Naquele casebre desnudo e desprotegido, feita em carne pela friaca, procedia com minha metamorfose com felicidade, com euforia. O ritual começava na casa dos meus velhos, raspando as pernas no banho. Continuava com as mentiras necessárias para que me deixassem sair. Partia como um rapazinho tímido de minha casa, sob as admoestações do meu pai, que determinava a hora de regresso e o protocolo de comportamento; quando ninguém me via, colava no meu palácio de tijolos sem reboco e começava a me converter em Camila.

O par de meias roubado de minha avó, o vestido que costurei com uma cortina que fedia a inseticida, a maquiagem que minhas colegas, minhas primas e minha mãe descartavam. O perfume que escondi no bolso quando a mulher da farmácia se distraiu. Os sapatos que consegui comprar às escondidas após dois anos economizando cada moeda que meu pai me dava para o lanche do recreio. Sim, eu era uma ladra. E tinha outra opção? De que outra maneira possibilitaria aquele ritual se não fosse por meio de roubos, enganos, mentiras? Não poderia ter sobrevivido sem os pequenos crimes contra a propriedade privada daqueles que me rodeavam. Sem saber, todos colaboraram com aquela garota que saía à noite sacudindo o rabo pelas calçadas e que de dia as percorria vestida de garoto, caminhando como garoto, protegida naquele garoto que queria ser invisível.

Camila foi feita de pequenos delitos. Primeiro, contra a mãe, as tias e as primas; depois contra minhas colegas de dança e depois contra os clientes. Sobretudo contra os clientes.

Numa noite, quando tinha dezessete, saí para dançar. Escapei pela janela da cozinha. Tinha deixado a roupa para me trocar guardada numa bolsa, na construção abandonada. Também tinha deixado velas e uma lanterninha. E as maquiagens. Era inverno. Os invernos naquela cidade eram cruéis, podia fazer quinze graus abaixo de zero sem esforço, as geadas caíam tal qual um manto assassino e silencioso no vale.

Como era um mariquinha mentiroso, podia escapar sem problemas toda vez que desejava. Permanecia acordada, no meio daquele nada que era a cidade naqueles anos, de olhos abertos cravados na minha quimera negra, esperando ouvir meus pais roncarem seu sono cansado. O sono cansado, exausto, depois da vigília completamente dedicada ao sofrimento de botar uma pedra em cima da outra a fim de ter um teto onde se abrigar para sofrer igual aos que não têm nada.

Enquanto os ouvia roncar, saía na ponta dos pés, com os sapatos na mão, e saltava pela janela para o frio cortante das ruas. Eu me trocava à luz das velas, com a lanterna encaixada num oco da parede. Pintava-me como podia, com um espelhinho de mão que roubara da minha mãe num cochilo dela. Naquela época, ia dançar no mesmo bar aonde iam todos os meus colegas de escola. Meus colegas raramente me cumprimentavam, minhas amigas sumiam discretamente entre as pessoas, o resto me empurrava quando avançava entre eles, um esticava o pé para eu tropeçar, outro queimava meu vestido com cigarro, mas eu seguia em frente, em sintonia com meu mundo, e começava a dançar no único lugar que existia onde não me incomodavam: a área reservada. Ali, onde meus colegas iam se beijar na maior desfaçatez, ali onde aconteciam as coisas que realmente importavam na noite, ali eu dançava. Mas não num cantinho, não: eu dançava de uma ponta a outra da área reservada, entre os infiéis, os tesudos e os desesperados, cheia de vida, de desespero, cheia de uma mulher que não ia parar.

Essa rotina de escapar de casa para me travestir durou quase dois anos, desde os quinze até passados os dezesseis. No intervalo disso, barraram minha entrada no bar a que costumava ir: alguma piranha falou que me encontraram mijando em pé na pia do banheiro das mulheres. E é claro que acreditaram nela. O dono me avisou amavelmente que não voltasse a aparecer ali, a não ser que fosse vestido de homem. Comecei, então, a sair para passear pelo centro, para que todos me vissem, para que toda aquela turba de brutamontes serranos me visse muito bem vista, e depois fazia o mesmo caminho de volta até terminar no meu quarto.

Naquela noite, saí como todas as noites daquele inverno para dar minha volta pela cidade. Estreava sapatos de *nobuck* que pareciam mocassins de salto alto, bem na moda à época; tinha sacrificado as merendas de um ano para comprá-los. Só que no caminho quebrou o salto do sapato esquerdo e tive de bater em retirada com os sapatos na mão, só de meias, pisando naquelas calçadas geladas.

Não me dei conta de que um carro da polícia estava me seguindo. Quando saí da avenida por uma das ruas laterais que levavam até minha casa, o patrulheiro parou ao meu lado. Perguntaram-me aonde ia e se tinha documentos. Respondi que ia para casa, que não tinha documentos e que estava de sapato quebrado.

— Não podemos deixar que um menor ande solto na rua uma hora dessas. Vamos ter de te levar pra casa.

O terror de imaginar meu pai na porta de casa, enquanto eu descia da viatura num vestido feito à mão com as cortinas que haviam desaparecido misteriosamente. Respondi que não tinha problema nenhum, que já estava chegando, muito obrigado, e abri o portão de uma residência ao acaso e entrei como se fosse a minha, até que ouvi a polícia desaparecer.

Quando se foram, retomei o caminho de casa, mas, ao dobrar uma esquina, a viatura acelerou, saída do nada, e voltou a oprimir o seu poder contra meu corpo travesti. Dentro estavam dois policiais e um civil.

— Você é o filho do Sosa.

— Suba, vamos te levar para a delegacia.

— Teu pai não sabe que você anda vestido desse jeito?

Respondi que não.

— Bom, vamos ter de contar pra ele. Não se pode andar assim, é uma contravenção.

Eu comecei a chorar.

— Pare de chorar e suba. Não chore que não vai acontecer nada — disse o que estava ao volante. E, em vez de tocar para a delegacia, seguiu em direção ao rio.

Não falei uma palavra, até que pararam a viatura. Eles disseram que podiam me deixar perto de casa sem que meu pai soubesse de uma só palavra do que tinha acontecido naquela noite, mas só se eu fosse gentil com eles.

Pensei em todas as minhas colegas do secundário, loucas de curiosidade pela tal primeira vez, as moças que levavam seus segredos pelos pátios do colégio, confessando como era maravilhoso fazer amor pela primeira vez com alguém que te ama. Até meus companheiros falavam de uma dor mágica que as garotas tinham, uma dor sagrada que era a dor da primeira vez. E ali estava eu, no meio da noite, dentro de uma viatura da polícia, prestes a saber que tipo de dor sagrada significava perder a virgindade.

Naquela noite, debutei, com dois policiais e um civil que, eu suspeito, também era policial. Fiz sexo com eles por terror do castigo do meu pai. Preferi perder a virgindade, se é que se supõe nisso uma perda, a enfrentar a raiva paterna de saber que seu filho saía para rebolar vestido de mulher. À vista de seus amigos, de seus clientes, dos filhos de seus amigos e clientes, dos vizinhos, dos filhos dos vizinhos. Sem estar nem aí com a reputação do seu pai.

Foi simples, rápido, econômico e sem danos a terceiros. Um de cada vez. Aconteceu no assento traseiro, para que houvesse espaço, e, enquanto um fazia, os outros fumavam um cigarro esperando sua vez.

Quando terminaram, me levaram, tal como tinham prometido, até a esquina de casa e me fizeram descer com a ordem direta e simples de que nunca, jamais, falasse sobre aquela noite.

Naquela semana, no colégio, movimentei-me como uma alma que tivesse perdido seus laços com o aqui e agora. Quase não podia caminhar, em parte pela dor, com os músculos dilacerados, e em parte pelo peso do segredo e da culpa, a sensação de traição irreversível a mim mesma. Pensava que, se realmente tivesse coragem, teria ido para a delegacia com os sapatos na mão e esperado sentada num banco até que meu pai fosse me buscar. Assumir as consequências por tudo o que acontecia comigo por dentro. Contudo, cedi à manipulação. Estive ali, participei daquilo. Era minha decisão e tinha direito a tomá-la. Não podia me culpar por isso, mas o fazia, escolhia ser culpada por minha própria dor, pelo sangue que saía do meu rabo toda vez que ia ao banheiro, por ter sido penetrada pela primeira vez por três homens consecutivos.

Desde esse dia, meu corpo assumiu um valor diferente. O corpo deixou de ser importante. Uma catedral de nada.

As Villada, as mulheres de minha família, começavam a trabalhar muito jovens como domésticas diaristas. Algumas delas, inclusive, trabalhavam como diaristas também cama adentro. Eram todas morenas e todas *guapas*. Porém, meus avós criaram suas filhas para serem domésticas, além de esposas e mães. Foi a única coisa que ensinaram a elas, além de serem boas pessoas e não ficarem jamais com nada que não fosse seu. Nunca as estimularam a estudar, nunca as estimularam a ter uma vida independente.

É um recurso, o de usar o corpo como ferramenta de trabalho. Tem as que se casam, tem as que vão limpar as casas de outras pessoas. Gozam de liberdade, sabem que podem fazer dinheiro rápido, que é só uma questão de horas, oferecer o corpo e pronto. Um aventalzinho humilde e luvas de borracha para não se deixar tocar pela sujeira dos outros.

Estabeleciam cadeias de bons patrões e se recomendavam umas às outras, entre as irmãs, substituíam-se, ajudavam-se, procuravam umas às outras na saída do trabalho e voltavam juntas no coletivo. Saíam juntas para dançar, trocavam segredos. Nenhuma terminou o secundário. Mas foram instruídas a limpar vasos sanitários alheios, fazer camas alheias, cozinhar para outras bocas. E nunca roubar nada, não tocar em nada que não lhes pertencesse, não caírem em tentação. Algumas chegaram a escutar da boca dos seus patrões: "Gosto de você como de uma filha".

Anos depois, também vou acabar limpando a sujeira alheia: as de minhas colegas de pensão. Para meu infortúnio, não era a pensão da Tia Encarna. Quando cheguei a Córdoba, vivi num casarão na rua Mendoza, um casarão de pé-direito tão alto que daria para ter dois andares em cada quarto. O meu tinha janela para a rua e, para pagar o aluguel, cheguei a um acordo com o dono. Uma vez por semana, limpava o casarão inteiro, cômodo por cômodo, e também a calçada.

Numa noite, acontece. Vivo naquela pensão de bairro em Córdoba, capital. Ao sair da universidade, caminhando por uma rua deserta, um carro freia ao meu lado e o motorista pergunta o que estou fazendo. "Voltando da faculdade", respondo-lhe, mas ele não acredita em mim, então abrevia a negociação e pergunta quanto eu cobro. Arrisco um número, ele aceita. Foi breve, sem importância, nem sequer me recordo do seu rosto ou do seu corpo. Não é um assunto que mereça a efeméride. Ao me deitar depois, não senti nada, nem culpa nem prazer nem raiva. Nada.

Quem dorme naquela noite é a metade de mim mesma. A outra metade começa a ser devorada pelo destino que lhe programaram: ser puta.

É assim que se pratica a prostituição. O pai fez o que o mundo exige: pediu de todas as formas que seu filho mariquinha não fosse a futura travesti, a grande puta. Que não viva, que negocie com Deus e viva sem viver, que seja outro, que seja seu filho, mas de nenhuma maneira seja isso que quero ser: isso que quer se manifestar. No entanto, como ocultar essa revelação? Como alguém pode ocultar isso que se dá a conhecer desde o coração da pedra, isso que esteve oculto toda a vida dentro dessa pedra, essa forma para ser vivida, não apenas manifestada? Essa realidade impossível de rastrear, de saber quando começou, quando se decidiu que fôssemos prostitutas.

Mas o corpo se adapta. É como um líquido capaz de se adaptar a qualquer forma. Os músculos enrijecem ou engordam, blindam-se. A blindagem é total. Os olhos se emparedam. Não é possível ser essa prostituta sem antes sofrer anestesia total.

Chega uma noite em que fica fácil. Simples assim. O corpo produz o dinheiro. Decidem-se o valor e o tempo. E depois, gasta-se o dinheiro como se quiser: desperdiçando, de tão simples que é a mecânica para consegui-lo. Já tomamos as rédeas. Já nos encarregamos da nossa história, da decisão que todos e cada um tomaram: que sejamos prostitutas. Nossa idade não importa. Não importa se María é surda-muda, se Tia Encarna tem cento e setenta e oito anos. Não importa se somos menores de idade, se somos analfabetas, se temos família ou não. A única coisa que importa é a vitrine. O mundo é uma vitrine. Prostituímo-nos para comprar todas as suas ofertas em prestações.

Uma só noite basta, uma noite, e o dinheiro vem parar em nossas mãos, em nossa bolsa. No dia seguinte, pagamos o aluguel, sossegamos o rabo, a paquera. Uma noite, e já podemos ser como eles, as filhas pródigas saem às compras, para saldar as dívidas, batem nas portas das lojas como bestas do consumo. Pagamos em dinheiro. Não podemos dever para ninguém. Ficamos isoladas, apenas uma pequena manada que vaga pelas margens do mundo. Juntamos dinheiro e damos para eles, os mesmos que nos devoram todas as noites.

É possível que ofereçam esses banquetes graças ao nosso isolamento. Aprendo isso bem rápido, somos necessárias ao desejo, ao desejo proibido dos habitantes da terra por nós. Deve ser proibido com um castigo eterno, por decidir não cumprir o mandamento. Para nos castigar, dizem: não as desejarão. Mas a vida não poderia funcionar sem nossa presença ali, por fora de tudo. A economia quebraria, a existência selvagem devoraria todas as normas, caso as putas não dessem seu amor carnal. Sem as prostitutas, este mundo se afundaria na escuridão do universo.

Antes de conhecer as travestis do Parque, minha história se reduz à experiência da infância e àquele travestismo por instinto a que me expus ainda menina. Até cruzar com elas, não sei nada a respeito, não conheço outras travestis, não conheço ninguém como eu, sinto-me a única no mundo. E sou assim no mundo onde me desloco durante o dia: a universidade, as aulas de Comunicação Social e depois as do Departamento de Teatro da Escola de Artes. Meu mundo inteiro são os rapazes e as mulheres que conheço na universidade e os clientes pelas noites.

As saídas solitárias se tornam frequentes. Não é só necessidade de dinheiro, é a curiosidade, a vertigem de se derramar num destino. Vou atrás de clientes, sou jovem, sei contar histórias e mentir, converso com eles quando trepo, conto-lhes histórias pornográficas. Subo neles, cavalgo e lhes conto que, ainda muito garota, um senhor mais velho me sentou no colo e me fez brincar de amazona enquanto ele se fazia de corcel. Não tem nada que lhes instigue mais a perversão que fantasiar com garotas abusadas. Explodem dentro de mim, que sou quase uma garota, ainda não sou maior de idade. Uma gueixa e índia *comechingona*, é isso que sou. Encontro essa meta na contenda selvagem que é a minha transação.

Logo começam a ocorrer pequenas tragédias que atrapalham o negócio. Pequenas crueldades da parte dos clientes. Um regateio aqui, uma nota falsa acolá, uma surra num carro, uma brutalidade na cama. Minhas companheiras de pensão começam a murmurar sobre a porta que se abre às três da manhã e minhas vigílias na sacada do meu quarto à caça de incautos. Então, começo a procurar zonas mais vermelhas.

O Abasto é feroz. A Cañada é para as veteranas, velhas que estão há anos por lá. O Parque se oferece como um lugar cheio de árvores que cresceram sozinhas, árvores que foram postas ali pelo acaso e criaram raízes profundas e deram abrigo aos pássaros, sem ajuda de ninguém. E, para elas, as putas travestis que são tão necessárias quanto as árvores.

De longe eu as vejo rindo às gargalhadas. Tia Encarna é a que mais ri. Eu me aproximo aos poucos. Sento-me num banco perto delas. As garotas me observam, cochicham, uma me insulta.

Ao cabo de um momento, Laura, a grávida com capim no cabelo, se aproxima e me pergunta o que estou fazendo ali. Eu dissimulo, digo que estou esperando alguém. Ela não acredita. Pergunta o meu nome. Pergunta se tenho xoxota e comprime os olhos, apura a córnea para descobrir minha filiação. Quando confesso que sou travesti, ela me abraça, levando-me quase arrastada até o centro do grupo e me apresenta.

A chuva de gracejos e provocações é a maneira de dar boas-vindas. Ninguém entende isso: ninguém entende os limites nem os mecanismos de confiança e desconfiança na intuição travesti. Naquela mesma noite, a noite em que me aceitaram no grupo, a noite do meu batizado, por compaixão, porque não podiam acreditar como eu podia ser tão pequena, Tia Encarna contou uma de suas tantas vidas: como chegara da Espanha fugindo de Franco, com tamanho azar que foi recebida pelo golpe do general Onganía em 1966. "Tenho uma bala aqui", disse e apontou para o joelho. "E aqui tenho outra", e apontou a coxa. Ainda carregava as balas.

Perguntou meu nome várias vezes naquela noite, parecia esquecê-lo no instante em que o escutava, algo que é comum. Ninguém nomeia as travestis, salvo nós mesmas. O resto das pessoas ignora nossos nomes, usa o mesmo para todas: veados. Somos um quebra-galho, os mamadores de porra, os chupadores de pica, os calcinhas com cheiro de saco, os pau-no-cus, os arrombados, os Osvaldo quando muito, os Raúles quando menos, os aidéticos, os doentes, somos isso. O esquecimento do meu nome por parte da Tia Encarna era uma mostra a mais da amnésia geral dos nomes próprios das travestis, embora ela o atribuísse às porradas recebidas na cabeça. Eu o repetia várias vezes, Camila, Camila, e ela sorria e dizia que era um nome muito bonito, muito feminino, apesar de eu saber muito bem o que meu nome significava: a que oferece sacrifícios.

Quando contei a elas que era de Mina Clavero, umas levaram a mão à boca para conter a surpresa e outras disseram conhecer minha cidadezinha e deram fé da beleza do seu rio e de seus morros. Perguntaram como era ser travesti num povoado, e respondi que era fatal, que equivalia a morrer, mas que não existia nada tão alucinante no mundo. Ser única, isso era alucinante. Perguntaram que tal eram os machos, e respondi que muito brutos e relevei os segredos das minhas perambulações sexuais. Então, Tia Encarna nos ergueu em peso, disse que era coisa de veado ficar perguntando pelos bofes em vez de perguntar o que era importante: se gostaria de aquecer a garganta com um trago de uísque ou despachar a sonolência com um teco de cocaína.

Tinham matado o marido dela na Espanha e, no barco que a trouxera como clandestina, carregando uma mala de couro que fora da sua sogra, decidiu não morrer de tristeza, não se jogar no oceano e suportar sua existência da melhor maneira possível.

— Não deixe lhe baterem nos rins, bote as pernas, o rabo, os braços, mas não deixe baterem nos rins — disse-me. Ela urinava sangue fazia muito tempo. Não ia ao médico porque dizia que os médicos sempre tratavam mal as travestis, faziam com que se sentissem culpadas por todos os males que as afligiam.

Imediatamente notei que todas estavam aos seus pés e que, em caso de perigo, era ela quem se expunha aos golpes. Eu me enrodilhei debaixo da sua asa, debaixo das suas plumas iridescentes. Aquela pássara multicolorida nos protegia da morte.

Aos poucos, fui me acomodando àquela manada que se deslocava furtivamente até o Parque. Era a menor, a mais ingênua. Não fazia ideia de nada, de coisa alguma. No entanto, aquelas travestis davam sua sabedoria como davam tudo o que tinham na bolsa a quem lhes tratasse com respeito. O coração travesti: uma flor da selva, uma flor inchada de veneno, vermelha, as pétalas de carne.

Tia Encarna se embebedava com licores de todos os sabores. Sentia falta de sua terra, sentia saudades da Espanha, e isso lhe causava um estupor alcoólico que a fazia falar devagarinho e dizer incoerências. Até a chegada do Brilho, a única coisa boa que acontecia a ela eram aqueles estados de alcoolismo profundo que a levavam a falar dos seus pais, das campanhas da igreja, de seu esposo morto nas mãos do franquismo. "Gosto de você como de uma filha", ela me disse uma vez. E me abraçou como minha mãe fazia diante da violência do meu pai.

Todos admiram os alcoólatras. Quem tem um pai alcoólatra e ressentido, porém, teme o espírito do vinho. O meu dissipou seu brilho nos copos de vinho branco que bebia nos bares pés-sujos do povoado, rodeado de bêbados cruéis que contribuíam com nada além de crueldade para sua existência ferida. Voltava desfigurado de álcool pelas ruas do povoado, no seu carro esculhambado ou na sua bicicleta de sorveteiro, com um anjo da guarda que o protegia, creio que o duende do vinho, que o tomara como hóspede.

Só uma vez caiu numa vala e por ali ficou adormecido, com a bicicleta em cima dele. Minha mãe e eu fomos ajudá-lo a ficar em pé, mortas de vergonha e de cansaço, às vistas do povoado, que aproveitava para nos apontar seu dedo acusador. Estávamos marcadas pelo alcoolismo do meu pai, éramos uma família vergonhosa. Ainda que, apesar do alcoolismo, apesar do horror, ele se levantasse toda manhã, antes mesmo que o sol, para ir trabalhar. Inexplicavelmente, seu corpo resistia a todo aquele veneno que ele se inoculava sem precauções todas as noites, até esvanecer.

Meu pai e minha mãe sentiam vergonha de mim. Sentiam vergonha por terem um filho gordo e afeminado que não sabia se defender, que preferia se trancar assistindo à televisão ou lendo um livro do que jogar futebol com os moleques do bairro. Quando tínhamos visitas, ele se encarregava de colocar o assunto na mesa como um castigo. Eram os piores momentos de minha vida, quando vinham meus meios-irmãos passar as férias ou quando vinham os primos, porque eu era sempre o pior: "Tá vendo? Aquele ali, sim, é que sabe se defender. Aquele é que sabe jogar futebol. Aquele ali até tem uma namorada".

Só que eu também sentia vergonha deles. Vergonha da nossa miséria, de nossa distância da beleza, das bebedeiras do meu pai desfilando pela cidade como uma bandeira, de ter de trabalhar desde os oito anos vendendo coisas pela rua, pela necessidade do meu pai de que seu filho servisse para alguma coisa. Eu não pertencia àquela família, estava desterrada por ser quem era, eu não pertencia ao núcleo formado por eles dois.

Por fim chegou o dia do batizado do Brilho dos Olhos. Fizeram bolos, cozinharam manjares, a mesa estava repleta de docinhos de todas as cores e sabores, derramavam champanhe nos copos, *clericot* e sidra para as mais bregas, e refrigerante e suco para as menores. As grinaldas sobre as cabeças, as travestis com suas roupas de gala, os bofes todos muito educados, pois só convidamos os menos viciados, os que saíam bem na foto.

María, a Muda, estava trancada no seu quarto e não queria sair. Desde que o menino chegara à casa, María não dava conta das suas responsabilidades. Tia Encarna tinha lhe oferecido um salário fixo para que cuidasse dele e estivesse sempre à disposição, com o benefício adicional de não lhe cobrar mais o aluguel. Para María, isso significava deixar a rua e ficar tranquila em casa até que o menino crescesse, ou a polícia viesse atrás dele, ou Tia Encarna decidisse devolvê-lo ao mundo.

A proposta era tentadora, mas também supunha perder as conversas durante a espera no Parque, os vícios compartilhados, os clientes a postos e generosos, a esplanada onde demonstrávamos nossa selvageria. Durante muitos dias, María ruminou a proposta e fez contas, apagou-as e voltou a fazê-las outra vez, até que encaminhou para Tia Encarna a proposta melhorada. Sim, seria a babá do Brilho dos Olhos, em troca de renunciar a ser prostituta, tal e como pedira a dona da casa, mas também queria duas coisas: o broche em forma de serpente e o direito de ser visitada no seu quarto por um namoradinho que a festejava, um gari jovem que a deixava louca.

Tia Encarna aceitou o trato, deu o broche para ela, e María passou a cuidar do menino dia e noite. Como María tinha pavio curto, Tia Encarna precisava de todas as suas artimanhas de autoridade para amedrontá-la. Mas todas pensávamos que era sorte ter entre nós uma mulher como aquela, pois era a única capaz de manter a casa um pouco sobre a terra, não muito, graças ao peso de sua razão, devido ao seu instinto de economia, sua política de não jogar fora nada que pudesse ser reutilizado. Além disso, caiu nas graças do menino, que vivia entre nós sem ainda ter sido apresentado às Deusas Travestis que nos protegiam lá do nosso céu. María lhe falava na sua língua de sinais, e O Brilho não podia fazer nada além de olhá-la com assombro e graça. De qualquer canto podíamos ouvir a cascata de sua risada quando estava com María, a risada se deslocava pelo ar e nos atingia, e era tão alegre, tão decididamente viva, que imediatamente sintonizávamos com sua energia. Por outro lado, com certeza María fazia bem a qualquer uma de nós. Caso seja mesmo verdade que o bem se propaga e contagia, María, a Muda, era capaz de deixar as pessoas felizes.

Como era ela quem conhecia a arte e a parte do funcionamento da casa, acabava sendo muito complicado para nós organizar a celebração. E Tia Encarna nos aperreava com suas exigências e demandas: "Não é para botar o copo deste lado, e não é para servir o vinho daquele lado, e como é que vamos ficar sem bebida na mesa, e que hora as porções vão ser temperadas, e quem é que vai abrir a porta, e quem vai atender a esse maldito telefone". Bastava a gente se atrasar um minuto além do esperado para que nos jogasse na cara que as travestis éramos todas tontas porque batiam demais na nossa cabeça, que fôssemos ver onde estava María, que era a única esperta entre todo aquele bando de filhas bobas que tinha adotado.

Mandou-me buscá-la no quarto dela, que para o meu gosto era o mais lindo de toda a casa, até mais que o quarto da Tia Encarna; estar lá era como estar no coração de uma esmeralda. As cortininhas das janelas, o grito do seu espírito disposto naquelas cortinas de tule terminando em babadinhos que ameaçavam levantar voo, o espelho do guarda-roupa que ela cobriu quase inteiramente com fotos do Ricky Martin, os ursinhos de pelúcia em cima da cama, a foto da mãe numa moldura de madeira patinada de tom pastel e as roupas de baixo espalhadas por todo o quarto como uma declaração, como um grito da travesti que era María.

"Era como um cabrito": assim Tia Encarna descrevia o seu primeiro encontro com María. Eu também, quando a observava, pensava de imediato nos cabritos que tinham sido meus mascotes em casa até que meu pai os carneou, numa época em que a fome esganava nosso pescoço. Como era surda-muda, María emitia gemidos parecidos aos de um cabrito aos prantos. Parecia inconcebível que não estivesse naquele batizado de circo ao qual comparecemos com nossas lembrancinhas humildes. Como era possível que não estivesse ali com

Tia Encarna e O Brilho, recebendo as visitas? Mas não estava. Tinha se trancado no quarto e não queria sair. Não adiantou pedir a ela que descesse porque o bendito batizado estava para começar e Tia Encarna já estava nos deixando loucas. Foi inútil.

Quando, por fim, entrei, María estava reduzida a um corpúsculo de nada, toda enrolada na cama. Fazia gestos chorosos para que eu fosse embora e balbuciava no seu idioma de cabrito. No entanto, quando uma travesti chora e te pede para ir embora, é melhor ficar, porque a dor das travestis, nas poucas vezes que irrompe de verdade é como um feitiço: subjuga o espectador a um estado de lisergia triste, de piedade fosforescente. María finalmente cedeu, me chamou ao seu lado e ergueu a blusa toda banhada em lágrimas, como deve ter ficado o véu da Virgem Maria ao ver seu filho morrer na cruz, mostrando as costelas do lado esquerdo, de onde brotavam umas penas minúsculas de cor cinzenta, parecidas às de uma galinha pintada.

Chorava desconsoladamente, e a única coisa que me ocorreu foi passar a mão nas penas, pensando que ela as colara com algum adesivo. Só que não. Para provar que as penas saíam dela, arrancou uma e a colocou diante dos meus olhos, e do oco na pele lhe brotou uma lágrima de sangue. Pensei que se converteria em santa ali mesmo, que esse era o seu destino. Como podia ser que não tivéssemos nos dado conta de que havia uma santa diante de nossos olhos? María, a prostituta surda-muda, adoentada, cuja linguagem era de gemidos, a bela María que babava e nos pedia que a barbeássemos porque ela sempre se cortava, era a santa da nossa igreja.

O problema foi que María não acreditava nisso. Estava aterrorizada. Na lousa mágica que usava para se comunicar com a gente, escreveu: QEN VAI GOSTÁ DE MIM ACIM. O que eu podia responder para ela? O homem que não quisesse uma mulher que prometia ser pássaro era um homem estúpido e dispensável. Ela apagou a lousa e escreveu: COMO VO TRABAIA. Falei que trabalharia por nós duas, apesar de a promessa ser completamente falsa. Ela negou com a cabeça e enterrou seu rosto nas almofadas bordadas com enfeites de plumas. SO UN MONSTRU, escreveu, quase sem olhar a lousa. Tirei a lousa da mão dela e permaneci ao seu lado acariciando seu cabelo, dizendo que seria pior se atrasar, pois Tia Encarna acabaria subindo para ver que merda estava acontecendo e a envergonharia na frente das outras com seus gritos de matriarca.

Seu destino de pássaro, porém, era uma dor insuportável para María, a Muda, e eu, com minha reduzida inteligência, não sabia acalmá-la, mesmo que falasse lentamente para que pudesse ler meus lábios, e repetia vez e outra que tudo ficaria bem, que estava se transformando num passarinho, só isso, que a levaria ao médico, que não podia ser nada grave, treinadas como estávamos nós todas em consolar as doenças próprias e alheias, dizendo a ela que não se preocupasse, que as penas eram bonitas, que não dava para percebê-las debaixo da blusa, que descêssemos até o quintal, que nos esperavam para o batizado, que o bebê estava bonito como um pão recém-saído do forno, que havia pessoas agradáveis, que nada podia sair mal.

Até que María me abraçou, e saímos para o mundo. Tínhamos vinte e um anos as duas.

Ao descer para a festa, encontramos o menino disposto no meio do quintal no seu moisés feito de ramos suaves. Ao lado estava Tia Encarna, chorando como uma carpideira, e do outro lado do berço estava a sacerdotisa que celebrava o batismo, vestida em *animal print*, como um leopardo espreitando o menino, com seus apliques de cor vermelha enrolados num coque sobre o cocuruto e as unhas gigantescas roçando as beiradas do moisés. Era um batizado importante. A Machi não batizava um menino à toa. Nadina e Laura tentaram isso com seus filhos, mas A Machi argumentou que ainda não estavam prontos para serem apresentados às Deusas.

A Machi era uma bravíssima travesti paraguaia que havia arrancado metade da piroca de um policial com os dentes, porque ele tentou violentá-la. Antes de começar a cerimônia, bebeu um líquido azul-escuro que parecia tinta, de um copo muito fino de cristal trabalhado. Alçou-o com a ponta dos dedos, as unhas tilintando contra o cristal, e entoou uma canção em quéchua que assegurava o sorriso da terra para receber o menino. Dava-lhe assim as boas-vindas à nossa comarca travesti e vislumbrava que seria feliz e forte, que o vento que soprava em sua cara o tornaria mais bonito e que a morte o pegaria dormindo placidamente, pois conhecera o amor.

O Brilho dos Olhos, batizado na primavera, foi o favorito das travestis, o menino que mais obséquios recebeu das rainhas magas, para quem até o mais simples e barato tinha a aura do sagrado. O menino encontrado numa vala, filho de nós todas, as filhas de ninguém, as órfãs como ele, as aprendizes de nada, as sacerdotisas do gozo, as esquecidas, as cúmplices. Batizado por uma puta paraguaia vestida inteiramente de predadora, que lhe soprou bênçãos sobre o rosto, que alçou com suas unhas postiças as lágrimas que algumas de nós tínhamos derramado e com essas lágrimas benzeu a testa do menino, e O Brilho em nenhum momento chorou. Pelo contrário, sorria, e na metade do ritual soltou um pum insolente que nos fez sacudir de tanto gargalhar, e depois vieram o brinde e os papos de sempre, e María parecia ter esquecido a tristeza por se tornar pássaro.

Em momentos assim, alguém deseja ser capaz de recordar. Em momentos assim, alguém encomenda a própria memória.

A notícia do bebê encontrado pela Tia Encarna foi alcançando todas as nossas irmãs, que apareceram vindas dos cantos mais longínquos a fim de conhecê-lo. As morenas do norte, maciças e doces como o milho, que se divertiam cantando quadrinhas acima do tom quando a tarde caía. As estrangeiras, que diziam estar de passagem e não se perdoariam partir desse país sem conhecer o filho da Tia Encarna e tirar uma foto com ele, como tias legítimas. As filhas pródigas, que, numa disputa, tinham ido embora feridas ou que Tia Encarna havia excomungado da família por algum rancor atravessado e sem fundamento. Todas convocadas pelo Brilho dos Olhos para celebrar sua adoção clandestina sem muito a lhe oferecer além de nossa ternura.

Juramos todas, sobre a mão da Tia Encarna, que nunca diríamos nada a ninguém a respeito do Brilho dos Olhos. Não juramos com sangue porque o bicho rondava sempre e tínhamos muito medo de morrermos assim. Mas era como se na verdade tivéssemos selado com sangue aquele pacto de silêncio, porque éramos filhas de uma mesma mãe, uma mesma besta nos havia parido, todas tínhamos bebido do mesmo leite: o de nossa mãe, que paria raposas e prostitutas, que paria porcas.

Tão desoladas, acres, secas, perversas, ruins, sozinhas, ladinas, bruxas, inférteis corpos de terra.

O Brilho dos Olhos já está batizado. Se morrer, irá para o céu das travestis. A Tia Encarna parece enfeitiçada. É preciso vê-la recolhendo os restos da festa, indo e vindo com as bandejas, separando as sobras, lavando os copos, varrendo o chão, retirando as luminárias chinesas que iluminavam a heresia. Não podíamos amar mais a nossa mãe. Não havia nada mais belo que ela. Como ignorar nosso amor por ela e por nossas mães de sangue, esses monstros que enlouqueceram nossa vida? Essa mulher ali parada, que carregava o ódio do mundo nas costas, era mais que digna do nosso amor, seria da mesma forma se fosse uma cachorra, se fosse uma déspota, uma solitária desesperada capaz de qualquer coisa. Essa mulher nos deu de comer quando todo o mundo nos perseguia. E agora tem um filho legítimo, sua adoção foi legitimada pela história. Ela o batizou e agora limpa os estilhaços da festa.

Tal como um último imperador passa os últimos anos de sua vida, assim viverá O Brilho nesta pensão pintada de rosa, usurpados os pátios pelos gerânios e as rosas chinesas, protegido da violência que reina na cidade. Caso haja violência nesta casa, somos nós que a trazemos no corpo. Estamos contaminadas por ela. Por isso a Tia Encarna nos pede que descalcemos os sapatos antes de entrar em sua casa, que os deixemos na soleira da porta, naquele movelzinho de vime. Nossos sapatos convivem no exílio enquanto lá dentro, descalças e curiosas, a gente ri deles, porque alguns daqueles sapatos eram enormes, muito feios, tamanho 45 ou 46, havia alguns que pareciam transatlânticos amarrados no cais da Tia Encarna.

O certo é que, durante algum tempo antes da desgraça, pode-se dizer que a violência da rua não entrou naquela casa: ficou grudada na sola dos nossos sapatos, para preservar o menino, para salvá-lo. Não podemos ser culpadas, tínhamos direito à ingenuidade.

Ainda sou um menino, não poderia sobreviver sozinho no mundo. De noite, rezo. Ensinaram-me a rezar, e eu tenho fé, porque ainda sou pequeno. Deram-me um deus que cabe num rosário.

Um dia, estou numa reunião familiar e meu pai diz: "Se tivesse um filho veado ou viciado, eu o mataria. Pra que ter um filho assim?", pergunta a todos à mesa. E todos concordam, dizem simsimsim, pra que ter um filho assim. Minha mãe também concorda com ele. Eu, que entendo tudo o que é tecido ao redor de minha feminidade, entendo sua ameaça. Noites atrás, escutei quando ele perguntava à minha mãe por que eu era tão afeminado para falar e ela respondeu que não sabia.

Agora que o escuto anunciar seu desejo de me matar, tenho muito medo. Já o vi apontar uma arma diretamente para os meus olhos. Já o vi bater na minha mãe, já vi como minha mãe aceita tudo dele com uma submissão de animal inválido. Rezo por causa disso. Para que este pesadelo, o pesadelo de minha vida, termine.

O desejo de morrer vem de muito criança, um prematuro fantasma do suicídio com quem me entendo desde pequeno.

Sei que está ali, identifico-o com clareza, consigo distingui--lo entre todos os desejos possíveis, ainda sem saber que me livrarei dele ao me converter em travesti, que, ao contrário do que foi anunciado, a salvação será um par de saltos e um velho batom cor-de-rosa.

Passarei muitas noites rezando para que, ao despertar, a vida seja outra, para que o dia seguinte seja diferente. No começo rezo para mudar, para ser como eles querem. Mas, na medida em que me interno nessa fé cada vez maior, começo a rezar para despertar no outro dia convertida na mulher que quero ser. Na mulher que sinto dentro de mim com tanta franqueza que as horas se passam rezando por ela. Quando me apaixono por meus coleguinhas de escola, rezo para que me vejam como uma garota. Quando começo a florir, rezo para que as tetas cresçam em mim durante a noite, para que meus pais me perdoem, para que nasça uma vagina entre minhas pernas.

Só que não. Entre as pernas, tenho uma navalha.

Chegamos ao meio-dia num esculhambado caminhãozinho de cor púrpura, no qual transportamos os móveis caindo aos pedaços que meus pais reuniram em seis anos de convívio. Somente algumas poltronas e mesas, umas camas velhas, um guarda-roupa enorme que era o móvel mais valioso da casa, aparadores velhos e xicrinhas de porcelana, vários jogos de xícaras de café que minha mãe coleciona e que são bonitas, a evidência do seu bom gosto, além de uma saladeira de vidro herdada da sua avó.

A casa para onde nos mudamos fica na margem da estrada que une San Marcos Sierras a Cruz del Eje. O povoado é apenas um casario distribuído de ambos os lados da estrada. O monte ameaça comer as casas. Os trilhos de uma ferrovia já morta cruzam o povoado e o dividem em dois. Nem a sorte de ver um trem passar nos resta. Eu não entendo por que tive de deixar meus amigos da escola, o meu amante proibido, além da tranquilidade de estar próximo de meus avós, para poder passear por lá. Ninguém me perguntou nada, e, quando os interrogo, dizem para eu deixar de incomodar. Que agora vivemos ali.

Para chegar à casa é preciso descer por uma trilha de terra desde a estrada e voltar a subir por uma escadaria de pedras que desemboca numa galeria feita de adobe. O chão da casa é de tacos de madeira. Meu pai diz que a casa vale muito. Conseguiu comprá-la num lance desesperado antes que sua amante e seu sócio o quebrassem definitivamente e o deixassem com uma mão atrás e outra na frente. A casa tem um salão enorme nos fundos, que meu pai aluga para uma família inteira: avós, casal e dois filhos, um deles surdo. Ainda não foram embora. O contrato durava até nós chegarmos, mas não partiram, por isso temos de conviver com eles durante um tempo. A casa não tem banheiro dentro; tem uma latrina no quintal.

Antes vivíamos na garagem da casa da minha avó. Não lembro por que meu pai não estava com minha mãe e comigo. Porém, um dia apareceu e, em poucos dias, já estávamos carregando tudo para nos mudarmos. Deixar a cidade e a proximidade de minha avó índia para viver no monte, quem gostaria disso? Pelo menos quando vivíamos na garagem da casa da minha avó, podíamos usar o banheiro, estávamos perto, e eu gostava de minha tia Rosa, que na verdade é minha tia-avó, só que muito mais jovem que minha mãe. Agora, pelas noites, temos de urinar num balde se não queremos nos aventurar lá fora.

E temos razão em não querer sair de noite para ir ao banheiro. Ao redor há o monte, e os vizinhos alertam logo sobre os perigos que nos ameaçam. Por ali tem raposas, gatos-selvagens, víboras, aranhas, uma fauna inteira disposta a nos devorar caso a gente se distraia.

Para compensar, a casa que odeio tem um córrego que passa bem atrás do quintal. É perfeito, dá para beber da água tranquilamente, o córrego é o que alimenta o poço de onde tiramos água para tudo: para beber, tomar banho, lavar roupa. O milagre da água.

Como nos mudamos durante o verão, no começo do ano, o córrego é um refúgio nas primeiras semanas. Passo horas enfiado na água, cavando a areia para ficar mais fundo. Enquanto isso, meus pais põem de pé aquela casa antiga de pé-direito altíssimo, vigas de madeira onde se escondem os morcegos. Meu quarto tem uma janela com grades e postigos muito altos que nunca consigo abrir. Para que a luz entre, tenho de pedir ajuda. E, como sou invisível, meu quarto fica às escuras o dia todo.

O menino invisível e deslocado. O menino do monte. Montanhês e maricas.

Meu pai conta que, ao visitar a casa pela primeira vez, informaram-lhe que tinha pertencido à família de dona Paula Albarracín, a mãe de Sarmiento, o padroeiro escolar. Tem uma placa que parece provar isso, mas ainda não sei ler. Nunca saberei se era verdade ou não. Porém vivo numa casa que tem uma lenda.

Enquanto isso, os inquilinos finalmente se mudam e ficamos sozinhos. Passaram apenas algumas semanas desde que chegamos ao povoado. Já vou ao colégio, uma escolinha rural onde os sete anos têm aulas no mesmo salão, com o quadro-negro dividido em sete e a mesma professora para todas as classes. Pouco a pouco nos acostumamos a essa nova forma de vida. Existem duas mercearias no povoado, com preços exorbitantes, que desmoralizam e angustiam minha mãe. O padre vem uma vez por mês ao povoado rezar a missa, e o médico faz o mesmo, atendendo num quartinho ao lado do armazém de secos e molhados.

Na frente de casa vivem dona Carmen, dom Lalo e sua filha adolescente. São muito amáveis, de verdade. Às vezes me deixam entrar na casa deles e assistir a desenhos animados na televisão. Não temos luz elétrica na nossa casa lendária.

Quando começamos a nos acostumar com essa vida rústica, a contar os carros que passam pela estrada para não morrer de tédio, a urinar em baldes por medo de sair lá fora à noite, quando me acostumo à brutalidade dos meus novos colegas de escola que me chamam de mariquinha em vez de dizer meu nome, meu pai anuncia que vai embora. Diz que precisa trabalhar e nos deixa sozinhas, minha mãe e eu, em Los Sauces, o cu do mundo. Minha mãe diz: "Aposto que você vai embora com a outra". Ele bate nela por se atrever a dizer isso e, no outro dia, ergue o dedão na rodovia e vai embora.

Durante muitos dias, minha mãe fica no chororô e fumando como uma chaminé. Para encontrá-la na casa escura, sem luz, perigosa, onde os morcegos sussurram canções de ninar, basta seguir o rastro de fumaça dos cigarros.

Converto-me numa mariquinha triste.

Por sorte os vizinhos a adotam como uma filha, e tudo fica mais fácil. Minha mãe, que tem vinte e sete anos, torna-se amiga da filha adolescente dos vizinhos e já não está tão só. Eu, no entanto, com minha bichice à prestação, não consigo fazer um amigo que seja. Estou condenado à tristeza e à solidão do campo. Ao tormento das cigarras e aos céus rubros e aos predadores noturnos. Por sorte havia o córrego, a água que tudo lava, que tudo leva. As margens daquele córrego eram o domínio real de uma colônia de lontras. São uns ratos gigantes, alongados, com um belo pelo cinza-escuro e que raramente saem da água.

Também tem o garoto mais lindo da escola, que está no sétimo ano e que me senta no seu colo nos recreios e me chama de mariquinha, e adoro que ele faça isso. Às vezes me acompanha até o banheiro e faz eu enfiar a mão dentro da sua braguilha, para tocar sua viborazinha mansa, que é quente e hedionda e fica muito dura, e me ensina a masturbá-lo. Somos sortudos os dois, nunca nos descobrem. Aos seis anos já descobri com pavor quais são os fins pressagiados depois de tanto manuseio.

O menino veado atraído pela carne.

De vez em quando meu pai voltava e trazia animais para serem cuidados. No começo foram galinhas. Em pouco tempo com elas no quintal, quando já tínhamos montado um galinheiro e aprendido a cuidar delas, amanhecemos um dia e as encontramos todas mortas. Os vizinhos nos lembraram que o monte estava cheio de raposas e gatos selvagens, que era necessário colocar armadilhas, ou nossos animais não sobreviveriam aos predadores.

Meu pai montou armadilhas ao redor de toda a casa. Às vezes encontrava uma raposa capturada, morrendo de dor e de ira. Outras vezes era um gato-selvagem. Em todos ele dava um golpe de misericórdia para evitar que sofressem. Mas um dia encontramos uma lontra, que caiu por engano numa das armadilhas. Senti pânico com sua cara de ódio. Já não era mais aquele animalzinho de pelagem metálica que se deslocava com graça pela água: era uma fera com desejo de vingança. O ódio dos animais quando caem numa armadilha é especialmente nítido nos pelos eriçados. Poderiam comer viva uma família inteira se conseguissem escapar. Poderiam comer minha mãe e meu pai de um bocado só e depois a mim.

A ira daqueles animais aprisionados era a mesma que se lia nos olhos dos leitões, cabritos e demais animais que meu pai matava para depois vender a carne.

Meu pai nos obrigava, minha mãe e eu, a participar daquelas matanças, tornava-nos cúmplices de sua faina. Minha mãe sabia virar a cara quando ele a chamava de inútil e lhe ordenava a agarrar mais forte as patas, que servisse para alguma coisa. E, quando não era ela, era eu o inútil, o menino mariquinha que chorava de impotência.

Era tal a crueldade daquela vida que eu pensava que aconteceria algo realmente ruim ao meu pai, que em alguma ocasião seria comido por algum daqueles animais, que terminaria estraçalhado igual a eles, debaixo de um monte de pelo, penas, escamas, entranhas sanguinolentas de todos os bichos que matou, de todo o dano que havia causado, de todo o ódio que irradiavam aqueles pobres animais que morriam deixando seu último estrebuchar no esforço para escapar, às vezes das mãos de minha mãe e às vezes das minhas, provocando-me pesadelos insuportáveis à noite, com seus chiados e seu desespero e seu agônico e interminável protesto.

Viver no monte era viver no calor e na fúria. O pai ensina a arte da crueldade, a mãe ensina a arte da manipulação. O filho sabe matar galinhas aos seis anos.

Durante muitos anos me restou o temor do olhar feroz dos animais aprisionados que sabem que vão morrer e de dentro de si mesmos recebem a ordem de fazer algo, a vida inteira nas suas presas, fervendo de espuma e raiva.

Assim era o olhar do meu pai quando bebia. Estivera nessa sintonia de morte durante tantos anos que acabara por se impregnar do mesmo ódio, da mesma ira. Assim como os animais nos olhavam, assim ele nos olhava também, de sua armadilha. A armadilha de ter nascido na família em que nasceu.

Aquela ferocidade nos olhos só voltei a ver anos depois, numa briga entre duas travestis, numa das muitas noites de imitar a vida selvagem do monte. Às vezes somos a vítima, às vezes somos o algoz. Dessa vez estávamos todas na porta de uma boate gay, prestes a tomar café num desses carrinhos improvisados na rua. Ainda não havia amanhecido. Da escuridão irrompeu um corpo expulso por uma força superior a qualquer coisa, uma travesti que cai no asfalto e se contorce para se levantar do chão, ataca sua adversária querendo comê-la viva, parece que vai mordê-la, dão porradas cegas como se tivessem mais braços que Shiva, sapatos voam pelo ar, bolsas, brincos, sangue, unhas, apliques, cílios postiços, dentes, gemidos roucos como os que os porcos davam quando meu pai lhes acertava a cabeça com a parte de trás de um machado para desmaiá-los.

Nós, que tentamos separá-las, recebemos chutes e arranhões. Quando a polícia tenta intervir, é expulsa da mesma maneira. Só resta esperar que a disputa as esgote, iniciada quem sabe por que, por quem. É pavoroso que duas travestis de uma hora para outra se estranhem assim, que se agarrem de tal maneira e restem as duas como se usassem luvas de sangue seco nas mãos, arrastadas por outras travestis que se juntaram enquanto tentávamos separá-las. Terminamos todas arranhadas, espancadas, salpicadas do sangue de alguma das duas como preço daquela ferocidade. E desembocamos todas na delegacia, levadas à força para testemunhar, assediadas nas viaturas, empurradas até o xilindró, desejadas e desprezadas pelos policiais como joias barbadas.

Aquela ferocidade nos olhos, o olhar de ódio daquelas duas travestis enquanto brigavam: meu pai, quando bebia demais, tinha aqueles mesmos olhos. Todos os animais agarrados pela mandíbula de uma armadilha de ferro compartilham esse olhar.

Tem um outro olhar que ficou gravado em mim. Uns olhos que gritavam, mas de ternura. Vinha a cada início de mês, quando recebia. Vinha apoiado em suas muletas, completamente fora do eixo, suas pernas débeis, disformes, seu peito perfeito, seu rosto perfeito, as mãos fortes, os braços fortes de carregar todo o peso do seu corpo, os braços mais belos do mundo. Vinha arrastando seu ressentimento por essa deficiência que o atormentava ainda mais por causa de sua beleza, como se fosse inadmissível que um rosto e um torso como aqueles fossem acompanhados de pernas tão inúteis.

Estava endurecido, anestesiado por sua deficiência, mas era tão lindo que tirava o fôlego. Pagava só para cheirar entre minhas nádegas, mas fazia isso com tanta voracidade, como se estivesse fazendo amor. Gastava todo seu dinheiro com uma puta como eu, o pagamento mensal que recebia como monitor num colégio secundário se esfumava entre minhas nádegas, pela possibilidade de se sentir irmanado comigo, a dor dividida de ansiar morrer por ser como éramos no mundo. Permanecia ali até que sua respiração se convertia em vapor, enquanto sussurrava sua raiva e me apertava as coxas com força, e eu sentia que, se tivesse lhe pedido, ele teria me feito sua esposa. Não era possível imaginar um paraíso mais próximo que as noites com ele e sua pica enorme como defesa do mundo exterior. Um homem assim, que vinha com seu salário na mão, disposto a entregá-lo todo, tão doce e amargo como uma fruta dos trópicos.

Até que um dia falei para ele que não queria cobrar mais, que continuasse a vir quando quisesse, mas não precisava mais pagar, e ele respondeu ofendido que não queria nada por pena e partiu e não voltou nunca mais. Tempos depois, cruzo com ele na rua: segue vestido muito elegantemente, acompanhado dos pais, dois pais muito pequenos, ambos temos pais assim, mas é sua doçura que impregna a rua inteira, os edifícios, as árvores desfolhadas. Poderia reconhecê-lo em qualquer lugar do mundo: sua doçura transforma o ar, converte o oxigênio em vetores de ternura. Segue na cadeira de rodas. Olhamo-nos e fingimos ser desconhecidos um para o outro. Insisto aqui e agora que o desejei como marido. Só que agora tudo é diferente. Nem os olhos dele nem os meus se atrevem a recordar aquele costume ardoroso da sesta, o vapor da respiração entre as nádegas, o ódio sussurrado ali dentro como dentro do oco no tronco de uma árvore.

Todo mês, Natalí se trancava num quarto no fundo da casa, vigiada por Tia Encarna com o menino num braço e a escopeta no outro, a porta trancada por uma corrente grossa e um cadeado enorme.

Acontecia que Natalí era a sétima filha homem de sua família e, nas noites de lua cheia, se convertia em lobiscate. Se não cuidássemos dela quando estava assim, depois machucava-se a si mesma, convertia-se em alucinação de bêbados e ração para os noticiários, despertando debaixo das árvores com a roupa aos frangalhos. Por ter nascido a sétima filha homem, Natalí era afilhada do presidente Alfonsín, que estivera presente no seu batizado, e desde então sua família inteira e as pessoas próximas eram radicais em vez de peronistas, mesmo que não tivessem interesse algum por política.

Natalí chorava lágrimas azuis toda vez que escutava a canção de Julio Iglesias que levava seu nome e dizia que era capaz de cometer crimes espantosos em toda noite de lua cheia, caso não se trancasse naquele quarto. Por isso tinha se mudado para a pensão da Tia Encarna e por isso lhe pedia, por favor, todos os meses, que se encarregasse de prendê-la, dopá-la ou deixá-la inconsciente com uma cacetada na testa caso ela ficasse brava, pois transformar-se numa besta gera consequências irreversíveis para o corpo. Antes de sair para trabalhar, nós íamos lhe fazer um pouco de companhia detrás da porta, cantávamos para ela e perguntávamos se sentia-se bem, mas ela só respondia com grunhidos, só muito de vez em quando nos deixava ouvir sua voz de travesti bebaça e, nessas situações, limitava-se a dizer que jamais estaria tudo bem e que a deixássemos em paz.

Contudo, não havia paz para Natalí, antecessora de todas as travestis na mutação de personalidade e responsável por contagiar María, a Muda, de animalidade. Pobre Natalí, morreu jovem, devastada por sua particularidade, depois de envelhecer aceleradamente, tal como envelhecem as cachorras, as lobas e as travestis: um ano nosso equivale a sete anos humanos.

O mais triste era que no restante dos dias Natalí se comportava como um sol com O Brilho dos Olhos, soprava a barriga dele, brincava com ele de aparecer e desaparecer. Natalí era tão boa que tornava-se impossível associar aquela besta que mostrava os dentes e rugia da escuridão do quarto com a mulherzinha de traços mestiços que era a preferida da pensão pelo resto do mês. Contudo, todas sabíamos: Natalí tinha uma dentadura que podia mastigar ossos humanos como se fossem fruta madura.

Tínhamos terminado de organizar a rotina da casa levando seu ciclo em conta. Dizíamos que era como a menstruação de nossa manada. Éramos regidas pelo ciclo da lua, sabendo que não podíamos nos distrair, pois não podíamos faltar com Natalí. Todos os meses a víamos morrer quando retornava de sua forma lupina, a cada mês saía mais deteriorada do confinamento. Não podíamos fazer nada por ela, ainda que fosse a mais valente de todas as travestis que conheci, porque era duas vezes loba, duas vezes bestial.

Nos últimos meses de Natalí, éramos visitadas no Parque por duas irmãs travestis que viviam nos bairros altos da cidade e que, na verdade, se travestiam somente à noite: durante o dia mantinham o disfarce masculino. Eram garotos ricos, filhinhos de papai. Onde quer que estivéssemos, elas se aproximavam com toda a sua impunidade de classe, com passinhos elegantes e falsamente tímidos, como se fossem penitentes, até se integrarem à congregação de travestis que as recebia com desconfiança. Em seguida, porém, elas abriam suas bolsas Chanel e tiravam garrafas de bebidas alcoólicas sofisticadíssimas, que roubavam da casa dos pais enquanto eles viajavam ao redor do mundo.

Para nós as biritas tinham gosto meio ácido e um pouco forte, o que costuma ocorrer quando determinados luxos são dilapidados em certas pessoas. Não sabíamos apreciar os bons licores, arruinavam nossa cútis. Estávamos acostumadas ao baque seco do uísque barato, à genebra, ao rum, ao anis, todos misturados com clonazepam ou cocaína, ou com refrigerante, se não havia outra coisa. Toda nossa vulgaridade ficava em evidência quando elas chegavam com seus licores caros e sua pele exuberante, suas maquiagens importadas e suas perucas de cabelo natural, herdadas de suas tias, tão diferentes de nossas cabeleiras ressecadas como pelagem de cachorra.

Batizamos as duas de As Urubus, pois gostavam de se juntar com a carniça, mas na verdade intuíamos que estavam ali por motivos que nunca conheceríamos: como imaginar o que motivava aquelas duas a se aproximarem de uma manada tão complicada como a nossa, formada por garotas de rua, fugidas de lares que só poderiam ser suportados se nos dessensibilizássemos até o ponto de simplesmente não sermos? E elas, por sua vez, vestidas com as blusas elegantes da mamãe, tocadas pelo halo da perfumaria mais requintada, vinham nos lembrar a miséria de nossas raízes: o plástico de nossas toalhas de mesa, a debilidade amarela de nossos móveis de pinus, quão ensebadas eram as colchas que cobriram todos os nossos antepassados antes de cobrir os nossos corpos.

Desconfiávamos duplamente delas por causa de sua vida masculina. Não vou mentir, muitas de nós retornávamos às vezes ao nosso aspecto masculino, empreendíamos esse regresso pelo caminho da vergonha, nos metíamos em nosso corpo antigo, na imagem negada e às vezes até odiada. E As Urubus carregavam consigo essa aura de macho que nos remexia o estômago só de tê-las por perto. Não era só o fato de não saírem do armário. Era que não saíam por mera comodidade. Sua comodidade deixava em evidência nosso incômodo: nunca tivemos a oportunidade de nos esconder no armário. Já nascemos expulsas do armário, escravas da nossa aparência.

Por isso, no fundo, as odiávamos. E por isso elas nos odiavam: por precisarem de nós, por sermos absolutamente necessárias para que recordassem seus privilégios. Embora chegassem com presentes, embora fossem condescendentes em nos dar os perfumes que não pareciam suficientemente finos para suas mães, ou roupa de marca já muito usada, ou bolsas rasgadas que tiveram passados esplendorosos. Com aquelas sobras estabeleciam a distância que nos separava delas, mesmo que dissessem de vez em quando que gostariam de ser como nós. Imitavam-nos, mas eram incapazes de superar os obstáculos de classe. Falavam nossa língua, porque é claro que falavam vários idiomas, imitavam nosso andar e trepavam com nossos clientes, mas não cobravam deles: faziam isso porque podiam dar-se ao prazer, porque não precisavam ser mercadoria. Simplesmente brincavam de levar uma vida que não era a delas.

E, claro, com essa presença que esbanjava glamour, subiram à cabeça de muitas de nós as aspirações, as pretensões. María, a Muda, quis se vestir como elas e um dia entrou numa loja da moda para comprar roupa: as vendedoras se assustaram como se tivessem visto um morto. Magrela, favelada, com os braços cobertos de penas e sua linguagem de mugidos, por favor, não me interpretem mal, era uma cena de pesadelo para aquelas empregadinhas entojadas até o nariz. A pobre María só tentava entrar em outro mundo tal como As Urubus entravam no nosso quando queriam. Mas essa operação ao contrário era inaceitável: as vendedoras riram escandalizadas e hostis, chamaram o segurança e expulsaram María aos empurrões, que nunca mais, até que se tornou pássaro, tentou cagar mais alto que o próprio rabo.

Tia Encarna, que tinha uma lucidez animal, reagia à presença das Urubus muito mais friamente que o resto de nós e pouco a pouco foi nos ensinando a ver realmente aquelas duas estranhas que cochichavam a nossas costas, que tinham para tudo uma resposta óbvia, que, ao cruzarem de dia conosco na rua, fingiam necessitar urgentemente de algo em suas mochilas para não ter de cruzar o olhar conosco, que chegavam ao Parque no carro que ganharam do papai, mas o estacionavam numa conveniente distância, que achavam que as travestis não tínhamos visão de futuro e lhes bastava um gesto para evidenciar nosso mau gosto. Aquelas duas estranhas, como bem dizia Tia Encarna, tinham algo morto no olhar: algo que nos dizia que não sabiam perder, que ninguém lhes inculcara isso na sua criação. Só se interessavam por ganhar, por tirar proveito. Estavam com a gente porque era a única maneira que concebiam de se sentirem mulheres sem correr riscos.

No entanto, delatavam-se assim mesmo. Com O Brilho dos Olhos, por exemplo. Diziam coisas dolorosas sobre ele com uma ingenuidade que não era delas. Eu não botava fé quando se faziam de sonsas, tampouco o fazia María. Depois do episódio na loja do centro, María chegou a criar mais birra delas inclusive que Tia Encarna. No último aniversário de Natalí, jogou-lhes um balde de *clericot* em cima dos vestidos caros e sem graça, que as faziam parecer duas solteironas oligarcas que saíam juntas para não morrerem sozinhas. Elas armaram um escândalo, chamando-a de índia de merda. Então Natalí cravou em cima da mesa a faca de açougueiro que usava para cortar o bolo e sussurrou que repetissem o que tinham acabado de dizer, se tinham coragem de repetir o que disseram sobre sua amiga. Ladinas como eram, elas se desculparam na hora, com seus modos oligarcas: disseram que éramos todas índias, que ninguém podia se ofender com as demais pois estávamos entre amigas.

Para mim, soava perigoso deixar que conhecessem O Brilho. Mas Tia Encarna tinha os meios e os contatos para impedir qualquer tramoia que lhes passasse pela cabeça. Um dia, meio de brincadeira, meio a sério, disse-lhes que, se alguma delas a traísse com a questão do seu filho adotivo, ela conhecia muito bem o endereço da casa de cada uma e era perfeitamente capaz não só de incendiá-la, mas também de espalhar por toda Córdoba que se travestiam e faziam programas no Parque com a gente. Disse isso olhando-as nos olhos e sorrindo, um recurso que a Tia usava muito quando tratava com elas. "Vamos ver o que se perde se eu tacar fogo nas mansões de pessoas como vocês? As famílias fundadoras, as nobres famílias que deixam pingar ninharias de sua riqueza em cima do resto das famílias não tão nobres assim. O que se perde e o que se ganha?", perguntou ao léu, mas com os olhos cravados nas pupilas de ambas as Urubus.

E a gente riu, porém nos preocupamos também, pois sabíamos que aquela ameaça era mais que certa, mas não estávamos seguras de que aquelas burguesinhas soubessem disso. Porque, por mais esplendorosas que fossem por fora, por dentro tinham todas as luzes apagadas.

Deolinda Correa, santa popular, milagrosa, mito indígena roubado pelos cristãos e conhecido como a Defunta Correa, tem dez anos. É órfã de mãe. Está sozinha em sua casa no meio do campo, deita-se para dormir, a vida é imensa e alheia.

Seu pai volta bêbado. Entra no quarto, a vê dormindo e a confunde com sua mãe. Inclina-se sobre ela e cheira a transpiração de menina, que o enjoa e enoja um pouco, mas da mesma forma a beija na boca. Deolinda desperta e fica petrificada na imensidão da vida e da noite. Assim conhece seu primeiro e grande segredo.

Algo começou naquela penumbra. Falo de minha penumbra agora, falo de mim mesma. Falo da sensação de tragar punhados de terra da mão de Deus.

Numa noite, encontramos uma companheira morta, enrolada num saco de lixo preto, jogada na mesma vala em que

O Brilho dos Olhos tinha aparecido. Nós a descobrimos em uma de nossas escapadas da polícia, que outra vez andava recrutando putas para levar ao xilindró e exercer sua crueldade. Corremos, cruzamos como lebres a avenida do Dante, sobre nossos sapatos de salto agulha e plataforma, pulamos arbustos e poças que aparecem no caminho, jogamo-nos na vala, ficamos imóveis como cadáveres e ali somos surpreendidas pelo mau cheiro e pelas moscas.

Tia Encarna arranca o saco preto com as unhas e topa com o rosto desfigurado de sua amiga, já invadido por uma população de larvas que a devoram. Encarna grita como se quisesse ser escutada por Deus. Por quê, por quê! Toma a cabeça da morta entre as mãos, a aperta contra o peito, as lágrimas banham seu rosto e também os nossos. Por quê, por quê! Com a cabeça da morta entre as mãos, dá a primeira batida contra o solo, como se quisesse arrebentá-la de raiva. Por quê, por quê! Larvas saltam e moscas se agitam. Tia Encarna continua a bater a cabeça contra o solo e várias vezes pergunta, engolindo ranho e lágrimas:

— Por que não se defendeu! Por que não se defendeu!

María tenta acalmá-la, mas Tia Encarna a morde furiosa e jura se vingar de quem cometeu aquela covardia. Matar uma de nós. Matar uma travesti. Cometer um dano assim.

Enquanto isso, o menino cresce, alimenta-se, dorme nos braços da Tia Encarna. É moreno e enérgico. Suas demandas preenchem a pensão e desesperam a todas nós. Tia Encarna se tornou redonda, suave, vive de renda; em sua idade, afinal, pode dizer que vive uma vida tranquila. O odor azedo do bebê perfuma sua cama.

Ela o ama. Todas o amamos. O menino sorri para nós, dorme. É como um pãozinho. É o que achamos.

A Tia Encarna, que é devota da Defunta Correa, diz que o menino na verdade é o filho da Defunta. Que as pessoas não se interessam por essa parte da história porque o menino foi criado por um grupo de travestis que trabalhavam no Parque Sarmiento.

Sandra é a travesti mais melancólica da manada. Precisa ser consolada com frequência, pois fica triste por qualquer bobagem. O que pode ser essa fascinação pela tristeza, que tanto a domina? Para nós, é inaceitável deixar-se vencer pela tristeza, acreditamos que é um erro. Verdade que é preciso ser de pedra para não cair na tristeza, mas ela tem uma tristeza que nunca vai embora: esse tipo de tristeza que cruza fronteiras, que se infiltra sempre no ânimo, que te transporta débil como a brisa, passo a passo.

Sandra chora diante de um cliente. O cliente se enraivece e bate nela com o dorso da mão. O mau jeito do golpe machuca o rosto de Sandra. O rosto dela se contrai de tristeza. O namorado também bate nela, na boca do estômago, por se deixar machucar, por viver sempre na lua. A tristeza de Sandra a obrigava a conviver com a violência. Quantas vezes essa palavra foi escrita aqui?

Eu também cruzei a cidade, errática, sem saber o que fazer, onde me esconder. Isso porque o amor não chega. A juventude escorre entre os meus dedos e o amor não chega. Sofro por isso. Sofro também pela rejeição. Mas a falta de amor é pior. A solução: trinta comprimidos, alguns anticonvulsivos e uma carta para os meus pais.

Quando sinto que as forças me abandonam, a força de existir tal e como a conhecemos, algo em mim pede ajuda às minhas vizinhas de pensão. *O alento para resistir*, penso. Porque atrás da debilidade está a morte.

Que covarde, que prostituta vil e covarde. Que espanto, a covardia. E que acertado também, esse grito ouvido de dentro, o corpo que não está preparado para morrer. Nunca mais voltarei a ter a determinação de interromper tudo. Agora só é o suave desejo de morrer, de tanto em tanto, com uma languidez burguesa que me enche de vergonha.

As travestis se enforcam, as travestis abrem suas veias. As travestis padecem mais além da morte os olhares dos curiosos, os interrogatórios da polícia, os cochichos dos vizinhos, sobre o sangue ainda morno e cremoso que unta a cama.

Sandra se compadecia de outra mulher que havia no Parque: a sem-teto que vivia debaixo do Banco Provincia, na Bajada Pucará, a mendiga dos cachorros e das mantas e das horas de contemplação, do lugar privilegiado onde assentou seu abrigo. Porque daquele lugar onde ela armou sua tenda amarela e violeta dava para contemplar a morte do sol no oeste, enquanto fumava seu cachimbo e dava comida às cachorras, encostada no carrinho em que se apoiava para caminhar, pois a gordura tinha embotado suas pernas.

Silvia, a diabética, a mãe das cachorras e amiga das travestis. A mulher que íamos visitar todas as manhãs quando amputaram suas pernas por causa da diabetes. Nossos saltos altos faziam os vidros do hospital vibrarem. Os médicos nos agradeciam por nossas cores, nossas joias falsas, nossos perfumes de marca falsificados, a dose de graça que oferecíamos às pacientes que diziam lentamente adeus na quietude de sua agonia. A internação da mendiga Silvia foi providencial, quando um infarto quase a levou nos braços para o bairro do além. Não fosse o fato de Sandra ter passado para vê-la em sua tenda às três da manhã com uma garrafa de vinho, teria morrido ali mesmo. Contudo, teria se salvado de perder as pernas.

Silvia gostava de nos contar como renunciou a tudo, como tinha se fartado de tudo. Mas agora não mais. Morreu de pneumonia no mesmo inverno em que amputaram suas pernas. Uma infecção hospitalar, falaram. Quando fomos visitá-la numa manhã, recebemos a notícia. Foi como se tivesse tomado a decisão de morrer dentro do hospital, enquanto se recuperava. Entre os assobios que o peito dela soltava e a borbulhação sanguinolenta de sua tosse, pediu por suas cachorras, disse às enfermeiras que nos avisassem. Que guardássemos aquele lugar para elas. Que instalássemos uma cama quente e deixássemos água e comida todos os dias para elas.

Cumprimos com nossa palavra, cuidamos das cachorras dela até onde deu. Juntaram-se a nós com naturalidade, apesar de órfãs. Tínhamos dividido a tarefa de juntar comida, que não passavam de nossas sobras, nós, que já éramos as sobras da cidade. As cachorras se aproximavam e lambiam nossas mãos, algumas ficavam nervosas e parecia que iam nos morder, mas as outras as empurravam para que não sujassem nossas roupas. Muitas vezes nos salvaram de levar uma surra, aparecendo do nada quando o clima ficava tenso. E, assim como apareciam, voltavam para o lugar onde ficara a tenda da mulher que lhes dera asilo. De tanto em tanto, tinham filhotes, que terminavam partindo depois de beber o leite delas.

* * *

Com o fim do inverno, Tia Encarna começou um jogo perigoso. Todas lhe avisamos, mas sua determinação é bravia e nos amedronta. Não sabemos como preveni-la, sem que se chateie, de que não é uma boa ideia se expor diante do bairro inteiro à plena luz. Encarna sai para comprar mantimentos com o menino num carrinho. Diz que precisa fazer isso, que necessita caminhar sob o sol com ele. Ir até uma praça, sentar-se e vê-lo dormir. Mostrar ao mundo seu menino, esse menino encontrado numa vala.

É uma imagem perturbadora para as pessoas na rua. Às vezes saímos em grupo para não a deixarmos sozinha, mas é pior, como um perigo adicional, um apêndice para todos os perigos que nos assediam. Os homens olham de modo muito estranho para a Tia Encarna, e as mulheres a olham pior.

Ela leva o menino nos braços, e María, a Muda, segue ao seu lado, com uma mochila no ombro carregada com tudo de que O Brilho precisa. Sentam-se numa praça e se deixam envolver pelo poder da transparência, o clima é benevolente, o resplendor do sol começa a se imprimir na sua pele, sobre as bochechas barbeadas e maquiadas.

— É meu sobrinho — diz Tia Encarna quando alguém a olha interrogativamente. — O filho de minha irmã que veio de Formosa. Ela está numa cadeira de rodas, de modo que quem passeia com o menino sou eu. — E, quando perguntam pelo pai, diz — O pai? Foi tentar a sorte na Espanha.

E no começo as pessoas acreditam, porque nesta época de crise todo mundo vai para a Espanha. Mas então olham suas mãos grandes, a cara maquiada, e a escrutinam sem dissimular. Até que María fica de pé e apressa a arrumação para voltar para casa, conseguindo impedir maiores consequências.

Até que um dia o vendedor da esquina grita para nós, nos chama de veados ladrões de garotos. Então Tia Encarna se vira para María, dizendo "Segura ele", e entrega para ela O Brilho dos Olhos, em seguida encarapita-se sobre o balcão do homem e o segura pelo colarinho da camisa engordurada.

— Quando o monsenhor Quarracino disse que os veados e as travas devíamos ir viver numa ilha, a gente devia ter prestado atenção. Mas ficamos aqui como umas idiotas — diz para ele, bem perto da cara dele, metendo tanto medo que o homem malvadão começa a dar para trás e pede desculpas como um covarde.

Certo dia vamos todas tomar sol na Ilha dos Patos, em Alberdi. Vamos de minissaia e regatas muito curtas, ou de sutiã mesmo, atrevidas. Jogamo-nos no capim e besuntamos o corpo inteiro de Coca-Cola para ficarmos mais bronzeadas. Estamos cobertas de açúcar e atraímos as abelhas. Somos as flores da Ilha dos Patos.

Não. Na verdade, somos noturnas - para que negar isso? Não saímos de dia. Os raios de sol nos enfraquecem, revelam as indiscrições de nossa pele, a sombra da barba, os traços indomáveis do homem que não somos. Não gostamos de sair de dia porque as massas se revoltam diante dessas revelações, expulsam-nos com insultos, querem bater na gente e dependurar nas praças. O desprezo manifestado, a desfaçatez de nos olhar e não se envergonhar disso.

Não gostamos de sair de dia porque as senhoras da alta sociedade, as senhoras de penteado feito no cabeleireiro e cardigã de fio fino, denunciam-nos por escândalo. Apontam para nós com seus dedos de harpias e nos convertem em estátuas de sal, prontas para a derrocada, para a avalanche de nossas células esparramadas como pérolas de um colar arrancado de supetão.

Não gostamos de sair de dia porque não estamos acostumadas, porque é impossível se acostumar ao espartilho dos seus estatutos. Melhor ficarmos dormindo, trancadas em nossos quartos, assistindo a novelas ou não fazendo nada. Não fazer nada durante o dia, apagar-se do mapa da produção, isso é o que fazemos.

Mas, nesta tarde, decidimos ir tomar sol. Os primeiros sóis ardentes, os primeiros calores, a paquera com os bofes, uma teta que escapa, que deixa assomar o olho carnívoro do mamilo, o aparelho de som a todo volume, os sorvetes comprados do sorveteiro que nos chamou de bonitas, os papos com a peruana que sentou-se para descansar ao nosso lado e também toma um pouco de sol, só que vestida.

Estamos ali para sermos escritas. Para sermos eternas.

Hoje a rua está tranquila. Somos as únicas habitantes de toda a cidade. Quem nos vir nesta tarde, caídas sobre o gramado, tomando mate ao sol, besuntadas de Coca-Cola, da cor do caramelo líquido, vai sonhar com nossos corpos e nossas risadas, será uma imagem insuportável, como a visão de Deus.

É graças ao calor: a raiva que o calor dá. Ter vivido tantos anos sofrendo esses calores do inferno, essas sestas compulsórias nas quais fantasiava ter uma casa invisível, fresca, com janelinhas acortinadas, para resistir ao calor do monte. Fazia tanto calor que minha mãe temia que a prostração nos devorasse. Dormíamos a sesta transpirando como animais, sozinhas, com vontade de fazer nada, comendo nossa raiva de ser pobre num lugar tão inóspito, revezando para ir buscar água numa bica comum, porque não se podia beber a água do poço. Fazia tanto calor naquele povoado que tudo estava adoentado: a água, a terra, a comida, os corações, o ânimo. Desde então, conservo ódio ao calor.

O calor travesti era igual. A argamassa de maquiagem que se fazia como um grude, uma máscara de barro ardente que tapava todos os poros, para que a alma não escapasse por ali toda vez que recebíamos uma agressão. Com a cara tornada máscara, a mais bela de todas as máscaras, esses traços travestis mais reais que nossos próprios traços, concebidos para outro mundo, um mundo melhor, onde poder ser essa máscara.

Enquanto isso, éramos índias pintadas para a guerra, bestas preparadas para caçar na noite os incautos nas gargantas do Parque, sempre enraivecidas, embrutecidas até mesmo para a ternura, imprevisíveis, loucas, ressentidas, venenosas. A ânsia perpétua de tacar fogo em tudo: em nossos pais, em nossos amigos, nos inimigos, nas casas da classe média com suas comodidades e rotinas, nos bebês, todos muito parecidos entre si, nas velhas carolas que nos desprezavam tanto, em nossas máscaras sudarentas, em nossa bronca pintada na pele contra esse mundo que se fazia de desentendido, sua saúde em troca da nossa, chupando nossa vida pelo mero fato de ter mais dinheiro que a gente.

Assim perseguíamos os clientes, obrigadas ao calor, para sentir que não havia nada pior que uma mariquinha sufocada pelo mundo ardente dos homens, onde tudo se resolve com chutes e porradas. Com o secreto desejo de matá-los todos, de acabar com o mundo de uma vez, para ver se assim findava também a bronca acumulada pelo destrato perpétuo.

Quiçá viesse daí o vício de roubar dinheiro de suas carteiras. Não muito: vinte pesos, cinquenta pesos, merrecas. Nenhuma economia familiar seria destroçada por isso. Não passa de um gesto. Sou jovem e acredito que é legítimo fazer isso. Que esse dinheiro me pertence por estar na situação de desvantagem no cenário em que ambos nos encontramos no momento, o cliente e eu. Depois, já em casa, certamente sentirão falta desse dinheiro que gastarei em algum desses pequenos prazeres com que se é feliz na pobreza. Naquela época, ia muito ao cinema. Às vezes, comprava um livro. Às vezes, até dava para uma camisola.

Aprendi isso com as outras travestis, era um saber transmitido. Não podia ser de outra maneira, depois do preço miserável colocado em nosso corpo e nosso talento para exercer o ofício. Não era uma gorjeta, pois não era dado com consentimento. Contudo, era legítimo, pagamento por aquela violência invisível que caracterizava toda transação com um cliente. Porque nossa existência integral era um delito. Eu era uma ladra de um metro e sessenta, que metia a mão nas carteiras com a velocidade de uma fagulha, quando adormeciam ou quando iam ao banheiro. É preciso aprender logo: se pensar além da conta, o cliente sai do banheiro, te encontra metendo a mão na carteira e te bate. Se não pensar e agir, o tempo é suficiente para tudo. Eu me saía muito bem, até um dia um cliente me enviar mensagem pelo celular: "Você roubou dinheiro da minha carteira?".

"Sou puta, não ladra", respondi. Não sei bem o que dizer. Ele não volta mais, e é uma pena, pois era lindo; no entanto, merecia aquilo, assim como os demais. Para que saibam que somos mais caras do que suas mentes heterossexuais podem imaginar.

* * *

A noite do meu aniversário é a noite mais quente do ano. Decido não trabalhar, e sim dar uma passada para cumprimentar minhas companheiras. No caminho, um cliente me faz uma proposta encantadora e aceito. Quando termino, procuro-as no território habitual e as encontro rodeadas de uma caravana de universitários festejando o ingresso de um deles. São todos garotos bonitos pintados como travestis, em uma daquelas caminhonetes quatro por quatro compradas por seus papais graças ao suor dos pobres. Todos estão bêbados, festejando e gritando para nós os piores insultos que se podem endereçar a uma pessoa. Ao passarem, regam-nos com cerveja, aceleram, dão a volta completa no Parque e voltam dispostos a uma nova humilhação.

Somos poucas e, a cada segundo, ficamos mais nervosas e pressentimos que tudo vai terminar mal. Decidimos nos esconder atrás do carrossel, beber algo gelado em algum dos carrinhos, em silêncio, para não tornar mais palpável o lastro do nosso aborrecimento. Pergunto em voz alta:

— Não matariam todos eles?

Angie diz:

— Antes, eu foderia eles com um ferro quente.

Sandra assente com a cabeça, sem poder dizer uma palavra, graças ao medo e à impotência.

Assim era a raiva que haviam inoculado em cada uma de nós. Tomar a cidade de assalto: essa era nossa vontade. Terminar de uma vez com todo aquele mundo fora de nosso mundo, o mundo legítimo. Envenenar a comida deles, destroçar seus jardins de gramado bem aparado, ferver a água de suas piscinas, destroçar a marretadas aquelas caminhonetes de merda, arrancar dos pescoços aquelas correntes de ouro, tomar as preciosas caras de gente bem nutrida e ralá-las contra o asfalto até deixar seus ossos expostos.

Eu me pergunto o que teria acontecido se, em vez de mandar a raiva para o mais profundo de nossa alma travesti, tivéssemos nos organizado. Mas o que aconteceu? O que ganhamos por engolir o veneno? Morrer jovens. Porque, a não ser por aquelas súbitas e raivosas explosões fratricidas, as travestis não matávamos nem uma mosca.

Desde que pisei pela primeira vez na casa da Tia Encarna, pensei que lá era o paraíso, acostumada como estava a ocultar sempre minha verdadeira identidade nas pensões onde vivia, sofrendo como uma cachorra com o pinto estrangulado em calcinhas sempre de um número menor. Naquela casinha rosa, por outro lado, as travestis passeavam nuas pelo quintal que transbordava de plantas e falava-se com toda naturalidade das consequências do óleo de silicone, sonhos inconfessáveis eram confessados entre risos, viam-se os hematomas das noites de guerra, o mate com a bomba manchada de batom, o cecê de sovaco misturado com perfume, as novelas brasileiras sempre na televisão, as lembranças de infâncias dizimadas que deixavam os corações expostos como recém-nascidos sob a geada. Mais de uma se retirava com a garganta embargada e só reaparecia vestida e pronta na hora de sair para pecar.

Numa tarde, quando eu ainda as estava conhecendo, enquanto tomávamos uns mates aos risos, elas me davam conselhos para tapar a barba com sabão branco, quais hormônios devia tomar, onde era mais seguro injetar o óleo de avião, e de repente a porta da rua se abriu e entraram algumas travestis fortes como amazonas carregando uma companheira ensanguentada. Disparei a dizer que devíamos chamar a polícia, mas as garotas eram mais sábias e decidiram se ocupar elas mesmas de tudo, com puro carinho. O namorado da espancada soube que ela era soropositiva e lhe passara o bichinho, então bateu nela até deixá-la inconsciente.

Debaixo do sangue e dos machucados e dos dentes quebrados, havia uma moça linda, eu a conhecia. Era do mesmo vale de onde eu vinha. No entanto, estava destruída, o namorado tinha lhe batido muito, a cara não passava de um destroço, saía sangue dos seus ouvidos, quase não podia respirar porque tinha várias costelas quebradas e tremores e convulsões de dar medo. As travestis choravam enquanto a curavam – por que tanta maldade e selvageria, por que este mundo de merda, por que esta injustiça imensa, por que tantas misérias em nosso caminho? A dor de uma era a dor de todas. Chorávamos como carpideiras mal pagas enquanto tratávamos de limpar com álcool iodado o que podia ser limpo, quando entrou A Machi Travesti, a quem se atribuía o poder de ressuscitar as moribundas com sua magia negra, aprendida no Brasil.

Era uma travesti de cabelo ralo, incapaz de tornar mais decente a desordem de sua aparência, porém era tão dura que poderíamos trespassar os muros da Catedral usando-a como aríete. A Machi nos pôs de lado enquanto nossa amiga agonizava por culpa daquela surra. Apesar de estar bêbada, dos restos de batom nos dentes, do cheiro de cigarro nos poucos pelos que caíam do seu crânio, A Machi abriu passagem até a cama, pedindo silêncio. Tínhamos depositado ali a moribunda, na cama de Tia Encarna, que levara o menino consigo e esperava na cozinha, para proteger O Brilho de todo o horrível da vida.

A Machi começou a falar com alguém invisível. “Rezo para a Virgem porque é mulher e entende a gente melhor”, disse enquanto acomodava as mãos da moribunda, que soltava um gemido que sentimos rastejar por nosso corpo, descendo até o cu, trancando ali embaixo. A Machi rezava enquanto passava as mãos por cima de todo o corpo dela, como se a lesse. Cada vez que fazíamos um ruído, por mínimo que fosse, dedicava à responsável um olhar furioso e continuava rezando em sua língua. Quando lhe veio a primeira ânsia, pediu trapos e água fria. Depois, sacou um cigarro fedido da bolsa que trazia pendurada na cintura e começou a fumar olhando para ela, como se levasse o tempo necessário para reconhecer o demônio que habitava a moribunda, para, assim, sair triunfante da contenda.

Da mesma bolsa dependurada em sua cintura, tirou um pedaço de carne-seca, mordiscou-o com os poucos dentes que lhe restavam e começou a recitar alguma coisa em voz muito baixa e muito intensa enquanto fumava e soltava a fumaça e as cinzas em cima da moribunda, que tossia e se queixava com fraqueza, como o cordeiro prestes a ser dessangrado. A Machi seguiu impávida com seu ritual, ao passo que não sabíamos o que fazer, a não ser passar de mão em mão uma garrafa de vinho. Sentíamos frio, apesar da tarde quente; era um frio dentro do cérebro. Uma se ofereceu para botar a chaleira no fogo, outra disse “Ai, sim!”, como se a tivessem despertado do pesadelo. A Machi fez que ficássemos quietas, aborrecida, e seguiu rezando e rezando, até soltar um arroto poderoso.

A rezação aumentava em intensidade, e as ânsias e os arrotos também, e era difícil saber se ela estava interpretando ou se era verdadeira toda aquela ceninha de exorcismo, sobretudo ao se perceber que a moribunda mal podia respirar de dor. Então A Machi respirou fundo, revirou o fundo branco dos olhos, cuspiu o pedaço de carne que tinha enfiado na boca, que agora não passava de uma substância negra e viscosa, e começou a gritar: "Aqui está, aqui está quem lhe fez tanto mal! Aqui está o maligno, a víbora!". E eu pensei que a única víbora que nos fazia mal era o nosso tesão por ter uma pica enfiada bem dentro, uma pica que nos preenchesse e nos tornasse plenas e exigisse todo o nosso dinheiro e batesse em nós, porque também éramos brutas.

A Machi pisoteava o pedaço de carne, até se deter de repente e dizer que agora só restava o trabalho mais exaustivo: o trabalho de cuidar dela. Então foi até a cozinha, procurou uma vassoura e uma pazinha, limpou o desastre e nos deixou com a moribunda. Seu trabalho havia terminado. O que restava era a magia das travestis: limpar as feridas com um pano e água morna, levar a moribunda para urinar, sustentá-la enquanto cagava e tremia, levá-la de novo para a cama, envolvê-la nas cobertas, arrumar seu cabelo, cantar para ela em voz baixa. Uma magia de índole mais mundana. Do tipo que qualquer uma poderia fazer e não faz.

Quando completei quinze anos, dei um nó na cintura do camisão que usava para disfarçar o filho rapazote que meus pais desejavam que eu fosse, deixando meu abdômen enxuto à vista de todo o mundo. Usava-o com shorts bem apertados da minha infância recente, que propiciavam aquela exibição obscena, de menino veado, de travesti precoce, de adolescente ardente. Sem saber muito bem o que fazer com minha sexualidade, completamente desorientada e sem poder falar com ninguém, fazia experiências ao meu modo, punha meu corpo em cima da mesa de dissecção para explorá-lo palmo a palmo.

Saía de bicicleta para a periferia do povoado pela estrada por onde trafegavam os caminhões. No selim de minha bicicleta, que parecia uma dragoa cromada cortando o ar da manhã, levava para passear minha juventude, exibia aquele corpo que jamais voltarei a ter, convertendo-me em objeto, em carne apreciada, para poder viver a vida que se tem de viver nessa idade, a vida inteira com excesso de sensualidade clandestina.

Já era assim então, já rumava em direção a isso. Masturbar os caminhoneiros nas cabines dos seus caminhões, estacionados de qualquer jeito, bater-lhes punheta em troca de notas mixurucas, toda aquela lucidez para seduzir, enganar, mentir a idade, mentir que era mulher, ouvi-los suplicar, pedir por favor e depois ir embora atrás de outro e outro e outro. A adolescente que trepa nos caminhões para conhecer a vida. Essa sou eu. Essa fui.

E a outra vida. A vida branca, a vida diurna, intrometida no mundo dos heterossexuais de pele clara e costumes respeitáveis. A vida universitária, que acontecia de costas para a noite. Aquela rotina cinzenta na qual me aferrava à respeitabilidade, à opacidade dos meus vizinhos, dos colegas da universidade com quem cruzava diariamente. Ir ao supermercado, ir às aulas, ir até mesmo a festas em que era inconcebível a existência travesti. A tentativa de me adequar, o esforço camaleônico para me parecer com eles, para ter a vida deles.

Combinar com aquilo tudo, ser sóbria, amável, inteligente, dedicada, trabalhadora, a exigência de levar uma vida na qual não fosse julgada e condenada. Sempre alerta, sempre vigilante comigo mesma.

As viagens de volta para a casa dos meus pais convertida naquele filho discreto e obediente. Sem maquiagem, com o cabelo recolhido, um moletom folgado e calças de abrigo, a mochila no ombro e óculos escuros para evitar olhares alheios. O filho pródigo voltando para casa, para aquela mãe e aquele pai que gostariam de me ver seguindo a vida do homenzinho de quem eu tinha usurpado o corpo sem autorização. Eles tinham apagado da memória aquela aberração, a desconectaram do seu sistema e, em troca, eu devia cumprir minha parte do pacto, esta obrigação, este castigo: não podia me vestir de mulher.

Minha vida dupla era assim. O caminho para a casa dos meus pais cruzando as serras justamente na sua coluna vertebral, a náusea, a contínua vontade de abandonar tudo, sentimentos confusos, não conseguir entender se os amava ou os odiava, se seria possível seguir vivendo com aquela imposição deles em troca de sua proteção e seu afeto ou se terminaria me afogando no rancor e no sofrimento.

As comparações constantes. Todos os dias ver meus colegas da faculdade, meus professores, tentar todos os dias habitar aquela farsa onde me era permitido existir. Invejar os penteados das minhas colegas, seus corpos, suas vaginas, seus namorados, suas relações familiares. Desejar homens que me rechaçavam por ser como era. Não poder admitir que me prostituía porque ser puta travesti era a pior aberração concebível.

Escrever de madrugada, quando voltava da minha ronda de prostituição, sempre escutando na rádio a Negra Vernaci como apoio e companhia no meu solitário quarto de pensão. Um café, um baseado. A visita clandestina de um amante. As anotações da universidade em cima da mesa, as quais eu tratava de ler, de entender, apesar de isso ser impossível, assim como me era impossível assistir a todas as aulas se quisesse ter dinheiro suficiente para comer diariamente. A derrota cotidiana do otimismo e dos propósitos, uma batalha que sempre perdia, e a obrigação de voltar de tanto em tanto para a casa dos meus pais.

Minhas amigas, as travestis com quem montava uma família, não entendiam como eu suportava a exposição, a luz diurna, o olhar heterossexual sobre mim, como era capaz de ir à faculdade e de cumprir as matérias diante de professores que ignoravam por completo minha existência noturna.

Aquela vida na qual sempre fui estrangeira, na qual não era dona de nada, a visita ao mundo dos normais, dos corretos, meus colegas de classe média na universidade, aquela montanha de segredos e mentiras que sempre tive com todos eles. Uma merda de vida, com o desejo perpetuamente reprimido. Mas era o que possibilitava a outra vida: a da noite, a do sexo por dinheiro, a do desespero pelos homens.

Aprendi a mentir assim, a ocultar meu segredo, a me preservar dos olhos dos demais, de meus pais, de meus amigos, de meus professores, dos senhores da verdade, os exigentes que professavam a pureza da carne e a submissão do espírito. Sim, era capaz de lhes dizer: "Sou tão adaptada quanto vocês, sou melhor que vocês, já que posso ser simultaneamente como vocês e como eu quiser". E eles aplaudiam satisfeitos, porque seu modelo de mundo lhes parecia perfeito, e me abriam as portas de casa e me convidavam a entrar, a ver suas hipocrisias bem de perto.

E eu via a poltrona onde desabavam seus corpos exaustos, a gaveta onde guardavam o dinheiro que pagaria as escolas particulares dos seus filhos e as férias na praia e as joias de suas esposas. Mas também os via chegar ao Parque nos seus carros último modelo, dispostos da mesma maneira a pagarem por uma mulher com pica. Nada os enlouquecia tanto: "Fico doido vendo você dormir com esse punhal entre as pernas".

São hipócritas assim. E nós somos hipócritas também, urgentes travestis que, por dinheiro, se encavalam sobre qualquer coisa que se mexa. Por isso mentir é tão simples. Por isso se aprende rápido a dizer o que o outro quer escutar. Eu mentia para meus clientes e mentia na universidade e mentia quando voltava para a casa dos meus pais, a quem só importava uma coisa, o sonho de todos os pais: ter um filho profissional.

Às vezes, acabava muito cansada depois do trabalho. Sentia que estava gastando o corpo numa velocidade tremenda. Como dizia dona Rosita, a Solteira: cada ano que passava era como uma peça íntima que arrancavam do meu corpo. O envelhecimento precoce começou a se manifestar por meio da extenuação. Como se o deus obscuro que me dera a beleza num punhado agora abrisse a mão e fizesse essa beleza ir embora entre os dedos, como areia.

A cada madrugada de inverno, quando desabava na cama depois de uma noite de ronda, sentia um esgotamento muito parecido com a morte. E isso que não rondava todas as noites. Confesso: eu não era uma boa prostituta. Tinha de estar muito chafurdada na miséria para me acostumar com um cliente de que não gostasse. Tinha de estar coberta de dívidas para entrar num carro que não me convencesse de todo. Não o fazia com a regularidade de um trabalho, mas com a frequência da necessidade.

Não sei de quem posso ter herdado essa falta de ambição, essa comodidade de viver um dia de cada vez, mas não gostava de trabalhar todas as noites. Isso de ser prostituta respondia a uma lógica: se necessitava de dinheiro, meu corpo estava ali, disposto a ganhá-lo; se tivesse para botar o pão na minha mesa, daí ficava em casa tranquilamente dormindo, como um anjinho barbudo.

Mas a pobreza se estendia com seu manto cada vez mais para cima de mim. A permanente ameaça do dono da pensão de cobrar o aluguel, mais o que gastava em xampus, maquiagens, roupas, sapatos, além dos remédios em caso de doença, definiam a frequência com que saía para fazer minha ronda. Também complicava as coisas o regateio dos clientes, que eram capazes de pagar fortunas pelo carro que dirigiam, pela roupa que vestiam, pelos celulares que ostentavam, mas seu corte de cabelo chegava a sair de moda de tanto que demoravam regateando com uma travesti pelo preço do nosso corpo.

Assim, em aproximadamente dois ou três anos, esgotei o punhado de beleza que me fora dado. O encanto foi breve. E, enquanto existiu, foi maravilhoso. Mas a má alimentação, as noites sem dormir, o álcool, a cocaína, tudo foi arruinando um corpo que tinha sido bonito. Começou a se tornar impossível cobrar por minha deformidade o mesmo que cobravam minhas colegas. Eu não era uma travesti da velha guarda, não ostentava tetas monumentais nem um rosto corrigido por cirurgias. Não: eu era uma travesti interiorana que teve a sorte de nascer num corpo miúdo, com uns pezinhos que não chegavam a preencher um sapato tamanho 37 e uma voz absolutamente feminina.

"A voz", me diziam as travestis, "o que invejo é a voz".

Assim, cansada depois de ter trepado com um, com dois, com três, ainda faltava a viagem de volta para casa e arrancar de cima de mim o cheiro alheio, o rastro dessa amargura que causava me expor como num açougue e aguentar as diferenças ou o arrependimento de um cliente. "Você é um pé-rapado peludo e feio", ouvi de um, enquanto ele arrancava o carro dando buzinadas, como um demente.

E a espera, depois, ao chegar à pensão. Esperar o homem por quem andava obcecada, o homem que não vai ler este livro. Esperar que batesse em minha janela às cinco, às seis, às sete da manhã, meio bêbado ou totalmente perdido graças ao álcool, com exigências sexuais que nunca me atrevi a lhe negar.

Às vezes, reclamava e fazia cenas porque chegava cedo e escutava da calçada como eu fazia algum cliente feliz. E eu, extenuada, abandonada pela energia divina que antes me fazia levantar como uma boneca todo dia, do mesmo modo corria para abrir a porta e fazer amor com ele. Mas fazer a sério: com amor, com beijos, sem maquiagem, sem o sutiã recheado de espuma que usava como tetas, sem esconder o pau e sem tampouco usá-lo como uma espada.

Éramos jovens, éramos capazes de nos amar duas, três, sete vezes naquelas horas da madrugada. Éramos capazes de nos amarmos até nos odiarmos. Ele era a paixão que adoecia minha vida. Impossível deixar de desejá-lo, inclusive com suas agressões, inclusive com sua violência, eu era com ele como queria ser. Apesar do cansaço infinito, daquele medo permanente que sentia desde a infância, assumi com ele meu papel de escrava, meu papel de objeto. Acatei essa forma de existência apesar do cansaço, apesar do medo, pela razão única de que havia uma recompensa no corpo dele, sobretudo o corpo dele dentro do meu corpo, a constatação do seu desejo por mim, de minha feminilidade.

Por isso acatava, submissa, menos que puta, muito menos que puta: asquerosamente dominada por essa ideia de amor. Era insultante para o meu ofício, uma relação como aquela. E a existência desse amor também era uma vergonha para meus amigos da universidade.

Como poderia durar o punhado de beleza que me deram, se eu mesma mergulhava de cabeça na fealdade?

Eu o atendera várias vezes na pensão. Era bonito e grosseiro. Agia comigo com o desdém de quem tinha sido belo por toda a vida. Às vezes aparecia sujo, o que me obrigava a lhe pedir que tomasse banho. Mas era bonito, e isso bastava para aceitá-lo como cliente. Trabalhava para a prefeitura como agente de trânsito. Estava sempre vestido de bege, uma pauta do seu espírito.

Um dia, ofereceu o triplo do que costumava pagar para enfiar as pilhas do meu rádio no meu cu. Era muito dinheiro de uma vez, e aceitei. Não posso culpar a pobreza por isso. Não posso dar nenhuma desculpa. Só posso dizer que me culpei durante muitos anos por ter aceitado aquela humilhação.

A culpa que sentia me roubava vida, até que, numa tarde, desfeita em lágrimas, fui ver Tia Encarna. Como poderia olhar na cara dos meus pais, dos meus amigos, depois daquilo? Tia Encarna, com o menino nos braços, zanzava de um lado a outro da casa, ignorando-me por completo, enquanto eu a seguia como um bicho rastejante, enferma de culpa, chorando desconsolada. Até que, de repente, ela deteve sua marcha, girou sobre si mesma e, com a mão livre, fez minha cara dar meia-volta sobre o pescoço com um tapão.

— Cansei dessa miséria com que se olham! — falou e abriu a blusa, liberando um peito quase tão grande como o menino que repousava no seu braço; com a ponta do polegar e do indicador, apertou o mamilo, e um fio de leite escorreu como uma lágrima entre seus dedos. — Olhe. Isto é importante. — E abotoou a blusa e fechou a porta do quarto na minha cara após dizer: — Neste ano você não vai passar o Natal sozinha. Uma das garotas do Parque vai fazer um churrasco na casa dela, e estamos todas convidadas.

Ó, Encarna ama de leite. Ó, milagre dos teus peitos. Ó, Defunta Correa das tetas de óleo de avião, santa padroeira de todas nós, que conseguimos te encontrar na busca sem descanso de uma mãe, de procurarmos uma mãe para nossas noites de remorso, uma mãe que nos ensinasse a não sofrer.

Quando o dia de Natal chegou, tive de tirar as sandálias e caminhar descalça por uma rua de barro até chegar à casa da nossa anfitriã. Lá nos esperava uma das garotas com a mangueira na mão; ela lavava nossos pés às gargalhadas e, de vez em quando, punha o bico da mangueira no púbis e gritava: "Troquei de lado!".

Conhecer a casa de outra travesti era um evento muito legal, porque podíamos ver suas coincidências e suas dissidências – e com isso construíamos nossa identidade, nosso futuro lar. Não havia espelho melhor.

A mesa de Natal estava posta com esmero. Jogos americanos de plástico, copos de aço inoxidável e umas taças antigas num canto, que seriam usadas somente para o brinde da meia-noite. Tocavam velhos quartetos dos anos 1990, que me lembraram os natais na casa de minha avó, e pela janela entrava cheiro de carne assada. Não havia outros detalhes natalinos, a não ser uma guirlanda na porta. Naquela casa não eram necessários, porque já éramos todas umas árvores de Natal, decoradas com nossas melhores roupas de festa, um pouco por vaidade e outro pouco para contrabalançar com a miséria. Uma pessoa qualquer que nos tivesse visto jamais teria imaginado a humildade em que vivíamos, porque estávamos todas vestidas como rainhas.

O cardápio era galeto na brasa com salpicão de frango. O torrone, o pão doce, o amendoim caramelizado, tudo o que sempre me chateou do Natal naquela noite me pareceu dos deuses. A mãe da anfitriã nos atendia como se fôssemos todas suas filhas. Certa hora, levou-me pela mão até seu quarto e fuçou nas gavetas da cômoda, sacou uma anágua antiga, em perfeito estado, e me disse: "Toma, é um presente, tu é bem magrinha e vai lhe cair bem".

Em um momento da ceia, uma das garotas fez piada sobre outra que tinha operado e tinha uma vagina perfeita. Perguntaram à operada se já tinha metido dois ao mesmo tempo, e eu perguntei dois o quê, e todas riram da minha cara, chamando-me de falsa ingênua, até que confessei que nunca vira uma vagina reconstituída. Todas começaram a cantar em coro: "Mostra! Mostra! Mostra!". E a proprietária daquela vagina reluzente subiu o vestido, sustentando-o com o queixo contra o peito, puxou a calcinha para o lado e nos mostrou sua xoxota.

Continuamos rindo um bom tempo, eu pensava que era uma vagina bonita, enquanto ela abria bem os lábios para que víssemos em todo o esplendor aquela vagina, que tanto lhe custou ter e que tanto orgulho lhe dava. Depois, todas dançamos. Uma delas, que chamávamos de Thalia, porque tinha uma cinturinha de violino, jogou uma garrafa cheia no chão, mas não nos importamos e nos revezamos para dançar com a mãe da anfitriã, até que chegou a hora de brindar, e os rojões e os fogos de artifício do bairro nos ensurdeceram, e a anfitriã entregou presentes a cada uma de nós, um lenço com nossas iniciais que ela mesma havia bordado, e todas nos sentimos membras do clube mais exclusivo do mundo e nos desculpamos por não ter levado presentes para ela, que nos dizia: "Não importa, não importa".

Depois se puseram a me dar conselhos sobre como ressaltar meus traços femininos e elogiaram minha voz, tão feminina. Uma delas pediu que eu cantasse, e cantei a canção do touro enamorado pela lua, e uma delas começou a chorar e outras zombavam dela por ter dito: "É que sinto saudades do meu pai". E fomos ficando ainda mais bêbadas, e lavamos os pratos e ficamos no quintalzinho, sendo devoradas pelos mosquitos, acendendo espirais sobre as espreguiçadeiras e brindando sem parar e por qualquer motivo.

Uma das garotas disse que gostaria que seu irmão terminasse o secundário, e outra disse que queria juntar dinheiro para aplicar-se um tantinho mais de bunda; então me perguntaram do que eu gostaria, e eu disse que nada, e me disseram que fizesse um pedido especial, e eu não soube o que dizer. *Força*, pensei, mas senti vergonha de confessar isso.

Depois, fizemos silêncio para ouvir os vizinhos do lado trepando e uma das garotas gritou para que a convidassem, que era uma linda noite para isso, e assim as primeiras nuvens coloridas nos surpreenderam, anunciando que era hora de ir para casa.

E saímos todas juntas pela rua enlameada com nossos sapatos na mão, e uma seguiu na direção do aeroporto para pegar o coletivo, e outra foi para sua casa, que era ali perto, e eu entrei no carro de um senhor muito bêbado que vinha de Río Ceballos, e terminamos fazendo amor de verdade no meio do caminho, olhando os aviões que saíam e chegavam trazendo passageiros de última hora que certamente tinham brindado o Natal em pleno voo. Eu tinha vestido minha anágua antiga, e o cliente, depois de pagar, me convidou para tomar café da manhã num lugarzinho ali perto do aeroporto, e eu contei para ele não somente do Natal das travestis, mas também que havia visto pela primeira vez na vida uma xoxota feita por um cirurgião, e lhe disse que naquela noite havia me separado de Deus para sempre. E ele, bêbado como estava, me disse: "Faz bem".

Duas noites depois, um cliente ficou puto comigo porque não consegui ter ereção para penetrá-lo. Mal posso levantar dos mortos este corpo que coloco pelas noites na rua para comercializar. Mal fico de pé. Vou bêbada como meu pai voltava de suas rondas de bêbado. Não me envergonha sair assim por aí, exalando álcool, transpirar álcool e ter essa graça egocêntrica que o álcool confere. Mas não consigo ter ereção.

O cliente, que pagou por um turno de duas horas no hotel e tem medo que algum conhecido o veja comigo, está cada vez mais puto e me insulta com violência. Que assim não chegamos a nenhum lugar, pois roubo o trabalho das que, sim, conseguem; ter uma pica dessas e não saber usá-la, que vergonha, que tipo de puta sou, sem tetas, com bigode, feia, que tipo de pé-rapado aidético de cabelo comprido ele levou para o hotel? Em certos momentos ameaça me bater, e eu engulo em seco e o escuto sem mover um músculo do rosto. Tenho medo, mas também acho graça por vê-lo tão desesperado por ser penetrado, um moleque cujo capricho é um caralho.

Tanta raiva dele e tanta bebedeira minha tornavam inútil qualquer tentativa, sabe-se lá quais substâncias que tomei naquela noite. Ele podia deixar os pulmões expelirem sua indignação sem causar qualquer reação no meu pau. O que o deixava mais furioso era que agora teria de sair comigo, passar em frente à recepção daquele hotel de merda onde eu não merecia nem pisar, pés-rapadas deviam ser fodidas no escuro, eu não valia nada, e exigiu que eu pagasse metade dos gastos.

Incapaz de voltar à razão, cheio de ódio porque não conseguiu o que queria, mesmo que eu tivesse lhe oferecido mil alternativas, insultou-me durante todo o caminho entre o quarto e o automóvel, porém eu o seguia tão bêbada que nem dei atenção. São muitíssimas quadras até minha casa, mas é possível que outro cordeiro inocente entre nos domínios desta loba.

Regresso por Deán Funes, e a cidade dorme, só algumas *lan house*s estão abertas. As portas abertas cheiram mal, do interior saem lamentos que suplicam por serem ouvidos, existem fantasmas adoecidos dentro das *lan houses* nessa hora, as portas abertas por causa do calor, a fumaça de tabaco condensada como uma tormenta sobre a cabeça dos cibernautas, muitos solitários, muitas pessoas que só querem falar do que quer que seja, mas falar com alguém, ainda que seja por *chat*, dizer coisas, serem lidos, inclusive mentir, mas falar, ter contato com alguém.

No caminho, encontro certa duquesa da zona, A Vale, a mesma que até alguns meses antes, toda vez que me via passar na frente dela, gritava: "Maricas!". Essa mesma Vale hoje sai ao meu encontro envolvida pelo cheiro de uísque, vestida de vermelho, com jaqueta de vinil e apliques fúcsia no cabelo, tão inexplicável nesta cidade, tão desconcertante, daninha e doce como a Coca-Cola, queixando-se da seca com uma fragilidade inusitada, pois já se vão dois ou três dias que não consegue nada.

— E como foi pra você? — pergunta.

E conto para ela a história com o mais recente, o que foi embora puto porque não consegui penetrá-lo. E ela morre de dar risada e pergunta se estou tomando hormônios, ao que respondo que não. Então, ela me diz que tem a solução: com um comprimido de Viagra tudo se resolve. E tira da bolsa uma cartela e parte um comprimido pela metade com a unha e diz para eu tomar meio e ver como funciona. E rimos da situação, ali na esquina de Deán Funes com Fragueiro, porque não podíamos acreditar naquilo.

— Tanta encrenca pra ser travesti e terminar comendo veados — diz.

E a cada cliente que se aproxima, ela pergunta: "Você é passivo?". E aqueles que dizem sim ela manda ir embora. Do seu trono, que é aquele saguão, grita "Aquele do carro vermelho é passivo!" e se retorce de tanto dar risada. Até que aparece um cara de bicicleta, e acertam por uma hora e entram no quartinho dela com bicicleta e tudo, enquanto sigo meu caminho para casa, com metade do comprimido de Viagra adormecido como um sapo em minha bolsa.

No dia seguinte, eu o tomo. No começo, corre tudo bem. Faço minha estreia com um tenista meio opaco e sem graça que, no entanto, na hora de ser montado, corcoveia como um cavalo enfurecido e pede e implora como se não fosse com ele, como se o tivessem virado de lado na hora da investida. Cobro, a gente se despede.

O problema é que a ereção continua. E o cliente seguinte não quer nem saber de ser passivo, apesar do mito popular cordobês, tampouco o posterior, e estou desesperada no Parque, sozinha, todas já se foram para algum lugar e me deixaram só, com minha ereção dolorida. Nunca na vida tinha acontecido comigo ereção semelhante. Ali estou, como um macho incontinente e embrutecido, com um sofrimento que é uma vergonha e uma desonra para a grande passiva dominante que sou.

Cubro com a jaqueta a evidência do meu priapismo e volto para casa, mas é impossível dormir. Quando o efeito parece minguar, relaxo e já estou quase dormindo, a menor roçada reativa a ereção. Então me masturbo, uma vez, e outra, e outra, até o cansaço. Recorro à lembrança de todos os meus amantes, convoco-os com a memória, experimento horas e horas com meu pênis na mão, este obscuro objeto do desejo que deixa os clientes tão bravos e os faz chutar, chorar e implorar... Tem de ver como esses maridos insatisfeitos imploram por este pênis que agora tenho entre as mãos e que espremo para me esvaziar do maldito comprimido.

Tem de ver como imploram todos esses homens que formam uma família e têm filhos e arrebentam o lombo trabalhando para dar de comer aos filhos e à esposa. Tem de ver como imploram em silêncio à noite, quando sonham com este pênis que estrangulo agora e espremo enquanto aperto os dentes. Tem de ver como imploram para colocá-lo na boca e enfiá-lo bem dentro do cu, e sentir que é uma mulher que os penetra, que provoca neles essa dor, que lhes provoca esse desejo. Tem de ver como sua escala de valores se esmilingua quando este pênis está dentro deles. Por que, então, acreditamos que é nossa culpa não poder incutir neles os valores para que fiquem, ou para que partam para sempre, ou para que, ao menos, não nos infectem com o medo?

Foram horas tortuosas até passar o efeito. No fim, não queria saber de mais nada, teria sido capaz de arrancá-lo fora com os dentes para acabar com a ereção. Contudo, no dia seguinte, me proporcionou algumas gargalhadas inesquecíveis, até o afogamento e o arquejo. As noites de Viagra são uma lenda entre as travestis. Toda vez que uma de nós a protagonizava, depois a contava para as amigas, que contavam a cada uma das amigas e às amigas de suas amigas, entre gargalhadas semelhantes. A desgraça do Viagra, a maldição de Príapo.

Estou sentada na farmácia. Aguardo minha vez rodeada de velhos que também esperam. Entre mim e eles, não existe muita diferença. Talvez a única resida na juventude do espírito: eles são evidentemente mais joviais que eu. Toda singularidade em mim, todo estilhaço de beleza, foi morrer lá fora, na rua.

Um dos anciãos volta após consultar algo no balcão e senta-se ao meu lado. Ao fazê-lo, solta o fedor que sua roupa guardava, e este entra no meu nariz e no da senhora que está do meu outro lado. Nós duas franzimos o cenho: fedor de amoníaco, de mijo, como o de meu avô nos seus últimos dias.

De repente ela entra, alongada como uma espiga magra, com uns óculos negros que cobrem não somente seu olhar, mas também sua índole. Tia Encarna dizia: "Todas as travestis recebem, ao repartirem os dons, o poder da transparência e a arte do deslumbramento". Nós todas estávamos acostumadas a caminhar muito rápido, quase no limite do trote. A velocidade da caminhada era consequência de nosso afã por sermos transparentes. Toda vez que nossa humanidade se tornava sólida, tanto os homens quanto as mulheres, as crianças, os velhos e os adolescentes gritavam para nós que não, que não éramos transparentes: éramos travestis, éramos tudo o que despertava neles o insulto, a rejeição. Por isso, com maior ou menor arte, buscávamos a transparência. O triunfo de voltar para casa invisíveis e sem agressões. A transparência, a camuflagem, a invisibilidade, o silêncio visual eram nossa pequena felicidade de cada dia. Os momentos de descanso.

Desse modo ela entra agora na farmácia. Absorta após o gesto com que se declara viva, um gesto muito tênue. Veste um jeans largo, óculos de sol, e é tão alongada e magra como só é possível ser em sonhos. Eu pressinto seu desejo de não ser vista nos detalhes mínimos dos seus ombros, da sua voz. E lamento que não funcione para ela. Atrás do balcão estão os mesmos empregados de sempre, entreolhando-se. Um já disse algo ao outro, que solta um risinho. Uma das garotas atendentes se aproxima para verificar o motivo da folia dos colegas e se soma à zombaria.

Não se contentam em deixar sua maldade detrás do balcão, começam a procurar cúmplices entre os clientes, que se contagiam no mesmo instante: de repente todos estão olhando para a travesti que acaba de entrar na farmácia com a intenção de passar o menos inadvertida possível. Ela nota os risinhos de lado, os cochichos, e se incomoda. Baixa a cabeça, coloca os fones de ouvido e se põe a esperar.

Eu vejo tudo. Vejo minha irmã, minha amiga, minha família cansar-se dos olhares zombeteiros e ir embora sem comprar aquilo de que precisa. Eu também ando com pouco tempo e com pouco fogo. Não encontro em mim a energia para armar o barraco merecido por essa corja de miseráveis escravos dos bons costumes. Como me envergonham. Sinto vergonha por não me converter numa justiceira e mandá-los todos aos quintos mais hediondos da Terra. Filhos da merda mais que merda, irmãos da merda mais que merda, praticantes da pior das merdas. O que eles sabem das horas perdidas tentando dominar a difícil arte da transparência e do deslumbramento? "Somos como um entardecer sem óculos de sol", dizia Tia Encarna. "Nosso fulgor cega, ofusca aqueles que olham pra nós e os assusta."

Com certeza, mas sempre podemos ir embora. E nosso corpo vai conosco. Nosso corpo é nossa pátria.

Angie era a travesti mais linda do Parque. Não tinha visto uma travesti tão bonita quanto ela em toda a minha vida, nem voltei a ver outra igual. Alta, delgada, sempre vibrante, sempre em movimento como um talo de bambu na ventania. Nunca soube sua idade, era dessas travestis cujos segredos são completamente indevassáveis. Sua beleza jovem era potencializada por uma sabedoria de alma velha, que a precedia como uma aura.

Quando a conheci, não tinha passado por cirurgias. Depilava bastante as sobrancelhas, deixando-as bem finas, como se usavam nos anos 1980. Tinha o cabelo curto e contava, cheia de graça, que os homens a chamavam de Araceli, e tinham razão, porque era tão bonita quanto Araceli González. Era preciso ser muito, mas muito bonita, se você fosse travesti, para andar com o cabelo curto por aí, enquanto todas as demais investiam o que tinham em perucas e apliques. Ela, ao contrário, usava o cabelo *a la garçon*: não era suficientemente comprido para cobrir suas orelhas, mas, longe de isso deixá-la feia, a tornava ainda mais irresistível.

Andava sempre com seu primo, um mariquinha de dezesseis anos que aproveitava as noites de ronda de Angie para ser montado entre as árvores do Parque. Tomava como um triunfo sua capacidade de fazer mais dinheiro que nós sem ser travesti. Agarrava as notas em maços, passava-os diante de nosso nariz e dizia: "Vou tomar sorvete, vamos?". Sua prima o obrigava a nos oferecer uma casquinha na sorveteria que havia na frente da Plaza España. Todos olhavam para nós e fazíamos a comédia de lamber as bolas como se estivéssemos boqueteando Marlon Brando, até que alguém nos xingava e a coisa encrencava, pois éramos garotas de pavio curto.

Viviam ambas em Alta Gracia. Pegavam todas as noites o coletivo para vir ao Parque e, a cada amanhecer, quando o céu avermelhava, voltavam juntas para o povoado, Angie muito apressada porque tinha de preparar o café da manhã para o namorado, que era pedreiro e começava a trabalhar muito cedo.

Tínhamos nos conhecido nas escadarias do Parque, numa noite em que eu me escondia para chorar sozinha, como costumava chorar então. Fazia isso quando ouvi uma gargalhada musical que ia se aproximando. Eram elas. Desciam as escadarias sem olhar os degraus, como as modelos que desfilavam no *Donna sotto le stelle*, o programa da RAI, a emissora italiana. Quando me viram sozinha, naquelas horas da madrugada, naquelas escadarias, souberam que se tratava de alguém que necessitava ser entretida.

A primeira coisa que ouvi Angie dizer foi: "Virei travesti porque ser travesti é uma festa". Para toda doença lançava aquele antídoto. E vivia assim. Suponho que havia nascido assim. Como uma flor no meio do deserto. "Só que não, minha vida, não chore por esse sujeito que não te dá nada. Ser travesti é uma festa, aproveite." E aplicava sua filosofia ao pé da letra. Sempre dava risada, era sempre generosa, sempre levava balas nos bolsos. Ela me incutiu o costume de chupar balinhas de menta durante as horas de trabalho não somente porque amenizavam o hálito de maconha, álcool e tabaco, mas também porque dizia que fazer sexo oral num cliente com bala de menta na boca fazia que ele te amasse mais.

Seu namorado pedreiro aceitava sem grandes dramas sua profissão. Viviam juntos em Alta Gracia, numa casinha que ele tinha erguido com as próprias mãos e onde Angie deixava tudo o que ganhava. Angie trabalhava muito e também economizava muito. Estava empenhada em se permitir todos os gostos na vida e começou por noivar com o Minotauro mais esplêndido que conseguiu encontrar com o bater de suas pestanas e o veneno do seu carinho.

O bofe dela era o homem mais lindo que nossos olhos já tinham visto. Era um moreno de olhos cinzentos que parecia construído com tijolos e que, no entanto, não era objeto de desejo só por isso. Tinha saído antes com travestis e fora disputado mais de uma vez, inclusive a navalhas. Dizia-se que era dotado como um jumento e que era doce como o mel. Notei à primeira vista que estavam apaixonados de verdade um pelo outro. E que Angie era uma festa: por ser tão bonita, por ser tão feliz, por ser tão imprevisível. Era uma coisinha impossível de não se adorar. Havia uma rainha no Parque. E era ela.

Quando lhe perguntávamos como fazia para que o bofe levasse a profissão dela numa boa, Angie respondia que ela se deitava com outros homens tal como ele construía casas para outras famílias. Às vezes ele aparecia para buscá-la, e todas gritávamos "Tchau, sócia!", como se compartilhássemos aquele bofe entre todas nós e fôssemos uma sociedade anônima. Angie ria e rebolava a raba, toda orgulhosa, porque nessa terra de desesperadas era amada por alguém que punha o coração sobre a mesa.

Num dia, o primo dela e eu tivemos que intervir às pressas numa briga com outra travesti. Soube que aquela besta infeliz tinha enviado mensagens para seu homem e foi tirar satisfação. Não contava que a outra era forçuda como uma aberração de circo: a primeira porrada a derrubou e lhe fez bater a cabeça contra as raízes de uma árvore. Ali no chão, a outra a cobriu de chutes. Ao ouvirmos os gritos, fomos separá-las. Apelei a todo o poder de minha retórica para acalmar a outra travesti. Quando finalmente consegui aplacar sua fúria, a besta infeliz sentenciou: "Não se faça de louca, amiga, se não sabe com que tipo de louca pode cruzar na rua".

Não gostei nada de ver Angie tão machucada e assustada, muito menos de acompanhá-la ao pronto-socorro, porque a batida contra as raízes foi forte, e sua têmpora sangrava um bocado. De todo modo, como vivíamos chapadas de uísque com clonazepam, ela ia rindo e nos assegurava que seu bofe jamais se deitaria com uma travesti que tivesse um bigode tão grande.

Só a vi chorar uma vez. Ela não suportava chorar nem ver chorar, e isso era um problema, porque, naquela época, as travestis éramos muito choronas. Quando alguma de nós estava triste, Angie convidava para tomar algo quente em algum bar aberto e dizia "Ser travesti é uma festa, meu amor, olhe para todas as outras que estão olhando pra gente" e apontava as garotas espantadas que, das outras mesas, nos encaravam como se fôssemos extraterrestres. "Elas já quiseram dar o que nós damos, vida minha. Porque nós damos amor", dizia, e meu coração se encolhia feito uma uva-passa, pois adorava e admirava como Angie vivia com aquela determinação.

Numa noite, dois garotos muito bonitos, desses que sempre devem inspirar desconfiança porque ninguém tão belo pode ter um bom coração, convidaram a gente para entrar no seu Kangoo e fazer uma festa com eles. Eu não gostava de festas, me sentia incomodada com outra travesti pelada ao meu lado, mas, como foi Angie que negociou, sabia que geraria um bom dinheiro e que cada uma faria o seu trabalho de um lado. Eram mais ou menos quatro da manhã de um sábado, hora perigosa, porque os rapazes começavam a sair dos bailes e dos bares e andavam muito bêbados e com ímpeto de avançar limites, de serem os mais rápidos, de fazerem mal, de se vingarem.

Era uma hora perigosa, mas também era a hora que apareciam os melhores espécimes de bofes já tidos e ainda por ter: os solitários. E não queríamos nunca perder os solitários. Com eles sempre tudo corria bem, como se a boa sorte existisse, como se aquelas palavras ditas por Jesus estivessem por se tornar realidade naquele momento e, ao menos por uma vez, os últimos seriam os primeiros.

Madrugada. Nós, mais duras que a estátua de Dante, com um frio de fazer as costas doerem, geladas. A Kangoo freou na nossa frente, e vi no interior dois principezinhos dourados, meio bêbados, bem-vestidos e perfumados, com bons modos e dinheiro no bolso. Entretanto, após pularem para a parte traseira do furgão, pediram que fizéssemos com eles tudo o que duas vagabundas sodomitas como nós podiam fazer; depois, na hora de pagar, disseram que não pagavam por travestis.

Angie ficou calma, disse com sua voz mais doce que era óbvio, meus amores, eles iriam nos pagar, porque a gente não escondeu nada deles, mas eles disseram que os enganamos porque não esclarecemos que éramos veados. Tentei mediar com minha retórica, porém um dos garotos deu uma porrada na boca de Angie e outro agarrou meu pescoço e começou a me asfixiar. Armou-se um verdadeiro empurra-empurra no qual Angie tentava alcançar sua navalhinha no bolso do jeans e eu gritava como uma louca, pois sentia que dali não sairíamos vivas, e, no meio do turbilhão de cacetadas e joelhadas, vejo que de pronto a porta da Kangoo se abre e o céu noturno entra por ali, e Tia Encarna, em cima de seus saltos de quinze centímetros, arrasta para fora do furgão o que estava me estrangulando e começa a lhe dar chutes nos ovos com suas plataformas enormes. Nesse momento da confusão, Angie encontrou sua navalhinha e a cravou na cintura do outro, e olhei para a linda cara ensanguentada da minha amiga e o filhinho da mamãe choramingando com as mãos agarradas na pança, e a Tia Encarna gritou para nós: "Saiam daí logo, idiotas!". Vimos uma horda de travestis vindo ao nosso resgate, dispostas a descarregar sua fúria acumulada.

Fora a própria Angie quem produzira aquela navalha. Consistia num sabonetinho de hotel preso a uma lâmina de barbear por um elástico de cabelo. Podia ser levada na manga, na bolsa ou no bolso. Certa noite, ela me presenteou com uma, dizendo: "Ai, amiga, você não sabe como esse sabonetinho de coco cheira bem". Com aquela navalha, abriu um senhor talho na cintura do nosso agressor, assim como o Zorro marcava seu zê com a espada em quem se atrevia a desafiá-lo.

Naquela noite, enquanto derramávamos uma sobre a outra garrafas de água mineral gelada nos machucados, Angie olhou nos meus olhos e falou "Ai, amiga!", com os dentes manchados de sangue como se fosse batom, e tapou a boca ao dizer isso e se apoiou em mim; quando sentiu-se melhor, acompanhei-a para tomar o coletivo no terminal e ela me disse: "Obrigada, minha vida", e prometeu que no domingo me convidaria para comer um churrasco preparado por seu namorado.

Angie morreu de aids. Algumas de nós a vimos morrer. Foi muito rápido, começou a ficar magra e verde e desapareceu do Parque. O primo dela me contou a desgraça, com uma indolência de que não gostei nem um pouco: disse que não a via desde que fora internada no Rawson. Angie morreu com a mão amparada por seu namorado pedreiro, que não se separou dela nem por um minuto. Fui visitá-la umas duas vezes antes de ir à faculdade e o encontrei em ambas as ocasiões sentado nas escadas do Rawson, chorando como um bebê. Era muito jovem, creio que não tinha completado dezenove, e já estava a dois passos de se tornar viúvo. Um dia me pediu dinheiro para pagar a conta de luz de sua casa: como não podia ir trabalhar, estava sem dinheiro, a doença de Angie havia devorado suas economias.

Certa tarde, Tia Encarna levou O Brilho dos Olhos para Angie se despedir dele, mas as enfermeiras não a deixaram entrar, disseram-lhe que não era conveniente para o menino estar naquele hospital que era uma espécie de hotel emergencial para nós todas, antessala de nossa morte. "É o único lugar a que vocês pertencem", me disse uma vez um policial que quis me levar presa. "Vocês vão acabar lá", falou, apontando o Rawson, o hotel de nosso desamparo.

Eu andava com o ânimo no chão naqueles dias. Estava num grupo de estudos da faculdade, e as garotas bonitas com quem me reunia para estudar se queixavam de alguns problemas banais que eu adoraria ter. Aos vinte anos de idade, não é justo que uma amiga morra por causa do bicho.

As más línguas diziam que depois o bofe de Angie se casou com uma moça e teve filhos. Já então, as travestis da minha manada tinham deixado de desejá-lo, pois suspeitavam que ela o contaminara. De um dia para outro, deixou de ser o *sex symbol* que nos enlouquecia para ficar marcado como um portador indesejável. Tudo aquilo foi muito cruel. De certo, mesmo sem nunca mais ver aquele belo pedreiro, eu lhe agradeço, onde quer que esteja, o amor com que tratou minha amiga. Vi com meus próprios olhos que não soltava a mão dela um só instante, nas horas de visita, e também o vi nas escadas, desmoronado de dor, secando suas lágrimas com as mãos curtidas pela cal. Ele a amou como merece ser amado o que há de mais sagrado no mundo. Porque para ele também tinha sido uma festa estar ao lado de uma travesti.

Sem Angie, o Parque nunca mais foi o mesmo, apesar de ela não o ter frequentado todas as noites enquanto estava viva. Nossa rotina continuou igual, mas agora era mais sórdida, sempre com a garrafa na mão, brigando com os clientes, brigando entre nós mesmas, xingando o De la Rúa e os *patacones.*[2] Assim fomos esquecendo o fundamental: que ser travesti era uma festa. Porque a mais bela de todas as travestis já não estava mais ali para nos lembrar disso.

* * *

2. Derivado de "Bono patacón", espécie de auxílio emergencial instituído pelo governo de Fernando de la Rúa, presidente argentino durante a crise econômica no país no início dos anos 2000. (N.T.)

O tumor do nosso ressentimento. A amargura de nossa orfandade. O lento homicídio cometido contra as de nossa espécie, as raposas, as lobas, as pássaras, as bruxas. Vou repetir isso, apesar do pecado literário: e também a vontade de matar. Muito forte, vinda de um lugar desconhecido e sem nome, a mãe de nossa violência, lá no fundo da nossa memória, todo aquele registro esquecido no processo de dessensibilização a que nos submetíamos dia a dia para não morrermos.

Quantas vezes tínhamos ouvido aquilo: "As travestis são muito barraqueiras", "Não meta uma travesti na tua casa", "São ladras", "São muito complicadas", "Pobrezinhas, não é culpa delas, mas são assim". O desprezo com que nos olhavam. A maneira como nos xingavam. As pedradas. As perseguições. O policial que tinha urinado na cara de María, a Muda, de pistola na mão, dizendo que, se ela não dissesse o nome dele, descarregaria todo o tambor na cabeça dela e na de todas as que servíamos de testemunha. Cada uma das porradas que eram somadas às que nos deram nossos pais para nos reverter, para nos trazer de volta ao mundo dos normais, os corretos, os que formam famílias e têm filhos e amam a Deus e cuidam do seu trabalho e tornam o patrão rico e envelhecem ao lado de suas esposas. A fúria contra o silêncio e a cumplicidade de nossas mães com o desprezo sistemático de nossa existência. Nem O Brilho dos Olhos podia nos tirar aquela raiva que continuaria arrastando suas correntes em nosso interior quando nossa vida já tivesse se extinguido.

Desde que as vizinhas começaram a gritar na sua cara "Degenerado! Ladrão de crianças!", Tia Encarna começou a sair cada vez menos à rua. Ficava trancada, assistindo às novelas brasileiras nas quais sublimávamos nossa história. Não se maquiava mais. Ia se tornando pesada, lenta, feito cadela prenha. Deitava o menino sobre seu coração e ali lhe cochichava num idioma que era só deles. O Brilho crescia envolto naquelas palavras secretas, ditas em sussurros, enquanto do outro lado da parede gritavam para nós "Aidéticos! Arrombados!", com a intenção de fazer ruir a paz que tanto custara para Tia Encarna construir.

De vez em quando, respondíamos, mas acabava sendo pior. Uma vez, Abigail Cabelo de Fogo apareceu na janela e abriu as calças para mostrar sua pica enorme e murcha para a vizinha exaltada com cara de vovó inocente que travava aquela guerra santa contra a gente. No dia seguinte, picharam de vermelho em nossa parede a palavra VEADOS, do tamanho de uma calamidade. Não fora a velha, evidentemente, o que significava que o bairro todo estava contra nós. Tapamos a pichação da melhor forma que pudemos, sabendo que era inútil, que cedo ou tarde voltariam a fazer aquilo.

O mundo do desejo não é tão luminoso quanto se acredita.

Era um caçador. Usava calças e camisas Grafa, e sua corpulenta configuração antecipava o que carregava entre as pernas. Era um animal amável e viril que te deixava exausta depois de uma trepada, como se tivesse travado um duelo corpo a corpo com um bisonte. Eu sabia que tinha sido o bofe de várias que acabaram apaixonadas por ele, porque nunca se deixava prender. Falava pouco, perfumava-se muito e te acariciava com ternura. Trabalhava como vigia no zoológico e vivia sozinho numa cidadezinha do subúrbio, já não lembro qual. Boatos diziam que tinha um dogo argentino e de que aquele cão tinha matado um ladrão que invadira sua casa certa noite, quando trabalhava como vigia. Quando ele era o cliente, sabia que seria uma bela noite, porque sempre pagava o preço combinado, era limpinho, sabia cuidar de uma garota, emprestava-nos dinheiro, acariciava-nos, aconselhava-nos a beber menos, a usar menos drogas, dava gorjetas, cobria todos os gastos e deixava toda a sua humanidade naquilo. Uma noite com ele era como o primeiro encontro de um namoro feliz.

Eu sabia que, com ele, se exercia o direito de sentir-se bem, realmente bem, uma felicidade breve que provinha do seu corpo. Ele me levava ao zoológico, e fazíamos amor na sede da segurança, entre mesinhas em forma de corações, pintadas de azul celeste e rosa, em cima de alguns colchonetes sobre os quais as professoras do jardim de infância depois certamente se sentavam para brincar com as crianças. Após atendê-lo, sempre voltava para minha casa, não precisava de mais nada. Às vezes, ele me convidava para caminhar um pouco pelo zoológico. Tínhamos de seguir calados, porque os animais se tornavam sensíveis de noite. Ele ia com sua lanterna e me levava até onde ficavam os leões, que nos olhavam com seus olhos verdes fosforescentes, suplicando para voltarem para a savana. Ou mostrava para mim como dormiam os camelos e como as garças começavam a cantar quando pressentiam a aurora. Às vezes, no meio do passeio, a temperatura subia e me montava ali mesmo, debaixo das estrelas e entre os animais. Tirava toda a minha roupa, tirava toda a sua roupa e, desnudos sob o céu, tentando não gemer para não incomodar os animais, rendíamos homenagem ao pecado.

O vigia era um solitário. Escutava Dolina num radinho de pilhas e de vez em quando me dava presentes inesperados após me profanar na sede da segurança do zoológico. Eu estava apaixonada, mas ele era vinte anos mais velho, e as más línguas diziam que tinha uma esposa. Eu olhava em silêncio a nostalgia dos camelos diante daquele deserto pintado no fundo de sua jaula. Parecia uma zombaria aquela paisagem falsa, eu não compreendia como podiam acreditar nela, e, no entanto, eles a olhavam com uma nostalgia tão sábia que eu acabava emocionada. O vigia às vezes me dizia: "Se fosse por mim, abriria todas as grades e que fosse tudo à merda". Eu perguntava por que não fazia isso, e ele respondia: "Porque, se eu for preso, você não vai me visitar". E eu me esfregava no corpo dele como uma cadela no cio. Até quando estávamos na frente do pobre camelo.

As constelações às vezes podem ser muito generosas. Meu vigia do zoológico me dava carinho, servia café quente para mim nas noites de inverno, mais de uma vez me levou no seu carro até minha casa e despedia-se de mim com um beijo na boca.

María, a Muda, estava proibida em todos os lugares. Não a deixavam entrar nem nos bares, nem em restaurantes, nem nas igrejas, nem nos imundos escritórios do poder público. Quando ia ao supermercado, pediam que se retirasse; se ia à quitanda, a expulsavam com escárnio. A pobre María, a mais agredida de todas nós, a mais querida pelo Brilho dos Olhos, era incapaz de se queixar por causa do seu exílio, mas também era incapaz de se submeter à assimilação naquele mundo cinzento que precisava suportar antes de alcançar a terra prometida.

Havia se convertido lentamente numa pássara de plumagem prata escura. No começo, seus gemidos de surda-muda tinham uma potência desoladora, era possível escutá-la desde a metade da quadra tentando se comunicar com alguém. Depois, escolheu se calar para não assustar o menino, pois seu idioma tinha a bravura do grito de guerra do pavão real. Nas noites de lua cheia, costumava acompanhar o confinamento voluntário de Natalí, e as duas bestas se faziam companhia, numa linguagem incompreensível, suntuosa, amarga, cheia de expressividade, às escondidas do mundo.

Nós a apoiávamos como podíamos, com nossos escassos conhecimentos, porém dispostas a atravessar com ela o terror de sua mutação, a agonia de sua mudança. Ela ensaiava seus primeiros voos na varanda, de noite, quando não tinha testemunhas, enquanto diminuía de tamanho a cada dia, feito presa de um feitiço inquebrantável. Logo deixou de comer alimentos cozidos, só podia bicar pedacinhos de carne crua, enquanto seu focinho se transformava num bico fino e achatado como a ponta das piteiras de ouro que as estrelas de Hollywood fumavam. Cobria-se com uma colcha e andava desnuda, porque seu corpo tinha se deformado a ponto de não ter roupa que lhe servisse.

Esperamos durante meses que suas asas se fortalecessem e ela pudesse abri-las em sua totalidade no meio do quintal, mas isso não aconteceu. Apenas cresceram garras nos seus pés, cujas unhas pintávamos com esmalte vermelho, nacarado, totalmente desinteressadas pelo bom gosto. Foi reduzida, finalmente, a um passarinho de chumbo que se limitava a espiar do seu ninho no limoeiro do quintal como transcorriam os dias do Brilho, assobiando canções melancólicas de espremerem o coração.

Nossa ave, nossa irmã mais livre, que seria capaz de voar para onde quisesse. María, a Pássara, que comeu de nossa mão minhocas e vermes. Agora que falei de sua transformação, sinto que parte de mim morre neste relato.

Desde a transformação de María, passamos a ir cada vez menos à pensão da Tia Encarna. Mais da metade de nós já tinha o bicho dentro e, por andarmos tão desabrigadas, quase nuas por aquelas colinas geladas, estávamos sempre resfriadas, doentes, debilitadas. Passavam os dias, e nos perdíamos nos seus rastros, acéfalas como estávamos. De vez em quando a gente se cruzava em algum bar gay e se cumprimentava de passagem, como se a confraria fosse coisa do passado. Às vezes contávamos umas às outras todas as novidades da vida, num só segundo, pois a vida continuava igual a sempre.

Quando passávamos para ver Tia Encarna, ela nos fustigava com reclamações que soavam lógicas e desequilibradas ao mesmo tempo. Acusava-nos de tê-la abandonado, de estarmos vivendo uma existência suicida, dizia que éramos incapazes de ver como tudo era tão difícil para ela, acusava-nos de oportunistas e mal-agradecidas. "Dei tudo para vocês, que me pagam com a traição!" Tínhamos perdido os primeiros passos do Brilho, tínhamos perdido suas primeiras palavras, e a deixamos sozinha em sua casa que um dia fora a nossa.

A vegetação tomara o quintal por completo; era como estar dentro de uma selva, de uma estufa anárquica. As plantas rasteiras se enredavam em nossos saltos ao passarmos, as abelhas zumbiam com total impunidade diante de nossos olhos, os morcegos se escondiam entre as voltas das trepadeiras, os ramos cobriam por completo o quadrado do céu que antes era visto do quintal. Em meio à tirania da fauna desgovernada, Tia Encarna se movia com seu filho a cada dia mais obeso, como um lutador de sumô. Gordo, tirano, sempre agarrado aos peitos da mãe, que nenhum amante ou cliente podia mais provar.

Tia Encarna se enclausurou na sua pensão. A única coisa que lhe importava era o menino. Ficamos sem mãe. Éramos órfãs outra vez. Ninguém sabia aonde ir, aonde se esconder do possível.

Quando uma de nós adoecia, ficávamos sabendo de imediato. Numa noite, me contaram que o silicone injetável com que Lourdes tinha moldado o corpo passara à sua corrente sanguínea. A debilidade do corpo dela, graças à aids, era a causa daquele horror. O silicone que lhe deu peitos e arredondou suas cadeiras, que engrossou sua boca e enalteceu as maçãs do seu rosto, agora começava a correr toxicamente por todo o seu corpo, não permitindo que um só lugar permanecesse intocado. De repente, os mil pesos que pagara para A Machi por seu novo corpo eram seu maior inimigo.

Então, toda a irmandade travesti colocou-se em movimento. A música de nossos saltos subindo as escadarias do hospital, o tilintar de nossas bijuterias pelos corredores parecia capaz, por um instante, de reabilitar o mundo. Contudo, nossa Machi Travesti nos recebeu com a notícia de que era incapaz de curar a doente. "A situação é irreversível", disse. "A pena que me inunda é tamanha que decidi não visitar mais as regiões dos deuses. Não sou digna desse privilégio. Não confiem em mim, menti pra vocês. Eu me entreguei ao álcool, ao sexo sem remédio, à toda a promiscuidade, dinamitei este corpo. Mas os milagres existem. Estão à altura da mão. É que nos custa distingui-los. Talvez nosso triunfo tenha sido este: que somos inocentes ao ignorar nosso milagre."

A partir daquele momento, a doente morre a cada dia um pouco. Sua mãe a acompanha. É uma mulher pouco comunicativa. A doente sorri durante todas as nossas visitas. Nunca havia imaginado que, na hora da morte, sua mãe estaria se despedindo dela assim, do cais, enquanto ela se afastava pelo mar até se converter em puro perfume. O gotejar do soro acompanha as horas. Até o último momento nos dizem que há chances. No entanto, mentiram para nós, e nos minutos posteriores à última exalação de Lourdes, estamos dilaceradas por lágrima viva, com as maldições à flor da pele, a boca cheia de espuma como cadelas raivosas. Estamos cansadas da morte.

A música dos nossos sapatos se abala degraus afora, vamos embora como quem foge de um bombardeio. Não podíamos dizer nada umas às outras. Não podíamos falar de nossa tristeza nem de nossas perdas.

Naquela mesma noite fui ao Parque sozinha pela primeira vez, e pela primeira vez a polícia me levou presa. Queriam saber se eu vendia droga. Falei, durante a noite inteira falei com eles, da morte de minha amiga, da fome, da amargura da vida travesti, apalpei-lhes sem qualquer pudor, dei para eles todo o dinheiro que tinha e fui embora.

Partir de todos os lugares. Isso é ser travesti. Lourdes teria pensado em si mesma como menino no fim? Naquele último instante em que o bicho ganhou a guerra, estaria preparada para encarar sua infância? Para morrer, é necessário preparar a casa, receber o menino que soubemos ter sido. Saber lhe pedir perdão por tanta traição cometida, por tanta mentira, por tanta sistemática decepção, pelo rumo perdido, por tanta beleza passada por cima.

Desde o primeiro momento me chamou de nariguda, de feia, de pé-rapado serrano. Tocou meu pinto com descaramento e zombou da minha maneira de falar: "Essa aí é daquelas que dizem oi com vozinha de marica e depois mostram ser uma flor de caminhoneiro", falava de mim. E, apesar da aceitação imediata que a manada me ofereceu, ela levou um tempo para me deixar entrar em sua vida. Nunca me cumprimentava, não me dirigia a palavra a não ser para me submeter ao seu escárnio. E me deixava roxa de vergonha e ódio. Eu compreendia que o melhor era rir com as demais, só que uma coisa não excluía a outra, seria preciso ter couro de foca para que aquelas piadas não doessem, não me dessem vontade de ser tragada pela terra.

Seu senso de humor muito particular era sua maneira de espantar a dor. Ria de tudo com uma agressividade incontrolável. Nunca foi afetuosa, mas era encantadora, estava quebrada como um vaso de vidro e com os cacos de suas feridas nos machucava. Eu a vi correr mil vezes à procura de refúgio com uma cara de encolher o espírito, quase se arrastando porque era coxa, e mil vezes a vi voltar, incorrigível. Roubava sempre as carteiras, sempre se comportava mal, bebia até a água dos charcos, drogava-se com tudo o que potencializasse sua selvageria. Era brutal como só um amante pode ser. Era irresistível ser agredida por ela. "Nariguda chupeteira!", "Mocreia desgraçada!", dizia para mim e dava risada enquanto fumava um cigarro, desprezando tudo o que a rodeava, odiando tudo aquilo.

Era vesga e manca de uma perna. Mesmo assim, a beleza nunca a abandonava, transcendia seus defeitos. Apesar dos rios de álcool vagabundo que introduzia no organismo, não caía nunca. Mas, quando bebia, ficava amarga, o charme soltava sua mão, era uma velha bêbada malvada e solitária, desesperada por uma carícia, suplicante por amor, por alguém lhe estender a mão na rua, por alguma de nós se atrever a saltar as valas para resgatá-la daquele castelo inóspito onde se escondia.

"Não conheço as palavras 'pai' e 'mãe'", disse-me um dia. Olhou para o outro lado quando disse isso, dramatizando o momento, para que doesse mais.

Tinha vindo sozinha do Chaco, ainda menor de idade. Começou a se travestir somente de noite, tinha um trabalho de dia, fazia uns biscates, e nas sextas e aos sábados se montava como uma rainha com todos os elementos que a pobreza lhe propiciou: uma maçaroca de tecidos de dois pesos atados de tal maneira que simulavam decotes abissais e minissaias que era impossível saber se estavam em vias de rasgar ou de se desmaterializar no ar.

A luta pela beleza nos deixara todas no puro osso, mas sabíamos que, se nos descuidássemos, não sobreviveríamos ali no Parque. Todo dia era preciso tapar a barba, depilar o bigode com cera, passar horas alisando o cabelo com o ferro de passar roupa, caminhar sobre aqueles sapatos impossíveis, e é necessário ressaltar: impossíveis. Como alguém no mundo pôde inventar aqueles sapatos de acrílico, tão altos que dava para ver o mundo inteiro de cima deles, tão altos que não dava vontade de baixar deles, tão altos que os clientes pediam, por favor, que não os tirássemos e os lambiam esperando saborear um pouco da glória travesti, essa frivolidade tão profunda, aqueles pezinhos de macho coroados por sapatos de princesa puta.

Ela passeava como nenhuma outra em cima daqueles saltos, com sua beleza sempre à beira de desaparecer, de extinguir-se, de abandoná-la. Chamava-se Patricia, embora todas a chamassem de A Manca, A Noia ou O Louco. Chamava-se Patricia por causa de uma irmãzinha que tivera no Chaco, que morreu de febre, sozinha no rancho, e que ela encontrou quando os porcos estavam a ponto de comê-la. Esse foi o dia em que fugiu de casa para sempre. Tinha catorze anos, seus pais a desprezavam porque era maricas, mas ela não precisava da permissão de ninguém para permanecer onde quisesse nem para ir aonde tivesse vontade.

Gostava de ter o nome da sua irmã morta, contou para mim, no mesmo dia em que me contou que não conhecia as palavras "pai" e "mãe". Estávamos as duas sentadas na calçada esperando o coletivo, num momento de rara intimidade. Ela me gozava por causa da minha voz de vulva, como então se dizia, e contei para ela que muita gente confundia a minha mãe comigo ao telefone. Ela deu risada, balançou-se para frente e para trás sem poder se controlar, e disse:

— Eu bem que gostaria de ganhar na Quina e cair fora. Morar na Itália. Tenho uma amiga que vive lá como uma rainha. Aqui, ao contrário, você come cada bofe, é só entrar no carro e volta o fedor de saco e o fedor de cu. Quero morrer.

Depois, como se toda a Mesopotâmia tivesse se enfiado no seu olhar, como se todos aqueles chacos e *chamamés*, aquelas polcas e acordeões adoecidos de tanta tristeza tivessem se arrastado para dentro dela, deu meia-volta e disse:

— Não conheço as palavras "pai" e "mãe". Não tenho pais. Estou morta para eles.

E passou um carro, nos chamaram, subimos com dois preciosos exemplares da boa vida argentina, dois cordeirinhos bem alimentados com vontade de serem mordidos, e fomos ao apartamento de um deles.

Ela sabia disfarçar sua coxeira caminhando muito devagarinho e rebolando para um lado e para o outro. Disfarçava o olho extraviado com óculos de lentes rosa em degradê, uma maravilha na moda naquela época e que ela não tirava nem para tomar banho. Na viagem, continuou a me agredir por causa do meu jeito de falar, mas eu não precisava ser cínica, então falava naturalmente, deixando-a na dela, e festejava suas piadas, pois o que mais eu podia fazer diante de um animal que vivia segundo as próprias regras, que decidiu não aprender mais nada depois de certo ponto, que se premiou e castigou segundo seus próprios desígnios, como a órfã que era, a pobre menina órfã que nunca foi levada a um oculista, que nunca foi atendida por causa de sua coxeira, que roubou o nome da sua irmã morta.

Os clientes nos levaram a um apartamento da rua Crisol. Mal o segurança viu a gente, eles riram com malícia e fizeram gozações: "Viram que entramos com os rapazes", um dizia ao outro. Eu me senti doída, mas ela se agachou ali mesmo, no elevador, remexendo dentro da braguilha do mais bonito dos dois e começou a lhe fazer um boquete. O outro ficou nervoso, os medrosos sempre sobravam para mim. Pediu que parassem, enquanto o amigo tentava tirar os óculos rosados de minha amiga e ela dizia que não, que tinha operado os olhos e, por segurança, não podia tirá-los. O estúpido acreditou nela e, quando chegamos ao apartamento, estávamos nesse limbo impreciso de coisas, sem saber se iam nos tratar bem ou se o lance seria sinistro.

Eu queria ir embora. Eles pareciam dois estúpidos monumentais, um estudava direito e o outro sei lá o quê. Mas minha amiga depositou sobre a mesa tudo o que tinha consigo, e sempre andava carregada de coisas que podiam te fazer levitar, e ofereceu aos rapazolas, e um deles endoideceu quando viu aquela tentação em cima da mesa, e o outro, o cagão, pediu para ele se acalmar, afinal para quê, né, mas esse tipo de pergunta, em determinados níveis da evolução, nunca obtém resposta.

A Pato continuou insistindo que a vida era ruim demais para se ficar de cara, e o cagão gritou para ela não se meter, e considerei que, se ele tivesse conseguido dar uma resposta para Pato, a coisa teria se encerrado ali mesmo. Porém existem milhões de pessoas no mundo que não sabem responder a perguntas desse tipo, de modo que minha amiga, além de brigar comigo, começa a brigar com o amigo do bofe dela, pois não suporta nenhuma proibição em absoluto, ela se ofende ao presenciar alguma proibição, e o cagão diz para ela que eles não são viciados, então eu faço o gesto de que vou embora, mas A Pato diz "Você trate de ficar bem aí!", e os dois bofes começam a brigar entre si. "É tudo culpa dessa bichona!", diz o estudante de direito, que, sem querer, dá uma porrada na Patricia, que se indigna como um vulcão e dá um salto e arranha a cara dele e aproveita para sair correndo com a carteira do bofe.

Ele tranca o apartamento e diz para eu não me mover de onde estou, e eu lhe digo que não tenho nada a ver com isso, mas eles estão furiosos porque A Pato arranhou a *babyface* do estudante de direito. E é então que a coisa fica realmente feia, porque eu quero cair fora, mas eles me agarram com firmeza o braço e me põem sentada e daí ficam sinistros, com olhar de loucos, capazes de fazer qualquer coisa, e nesse momento o meu corpo inteiro entra em estado de alerta. Abro as brânquias, eriço os pelos e arreganho as unhas para promover uma flor de escândalo no caso de ataque. Mas eles sabem que posso fazê-los passar por um mau momento. Estou com garra para vencer, penso em grunhir como uma porca, caminhar pelas paredes e jogar para baixo tudo o que encontrar enquanto avanço, todos os cristais da China daquele apartamento de estudantes, com aqueles porta-retratos familiares de retorcer as tripas.

Eu sei que, se quiser de verdade, posso proporcionar a eles a batalha que merecem, mas certamente uma briga dessas é sempre exaustiva, e acabo me acovardando e começo com a retórica. Apelo a argumentos falaciosos, digo a eles que nada sei da Pato, que a conheço só do Parque, que na verdade não é minha amiga, que não sei nem onde vive, como Pedro traindo Jesus, mas eles não acreditam em mim. O estudante de direito parece um louco, pois A Pato levou sua carteira com todos os seus cartões, documentos e até a fórmula da Coca-Cola. Tenho a brilhante ideia de falar que talvez ela a tivesse jogado na calçada ao sair e ele sai correndo, me deixando sozinha com o cagão e eu me aproveito da situação: começo a acalentá-lo, ronrono na sua orelha, encosto todo o meu corpo no dele, levanto a raba diante dos seus olhos e a rebolo, até que ele cede e cede, e pouco a pouco cede mais, e vamos para o seu quarto, e ali termino o trabalho, e ele não só me paga, como me acompanha até a porta, e dali sinto a possibilidade de cruzar mais além da fronteira, de que a experiência não termine ali, e fico encantada com aquele momento de perigo.

Convenço-o a me acompanhar pelo elevador até o térreo, passamos diante da guarita de segurança, que diz: "O senhorito já vai embora?", rindo com cumplicidade, e vejo sua cara de ladino e, bem na vista de todos, enfio a mão do meu cliente dentro da minha calcinha para ele ficar com a lembrança bem fresca, e desfruto da cara de vergonha dos dois, pois, como sabem, uma travesti é algo complicado de explicar, todo mundo diz isso, é complicado demais explicar para os pais e complicado demais explicar para os meninos o que é uma travesti.

Não voltei a ver A Pato por muito tempo, até uma noite em que, com uma navalhada, abriu a bochecha de outra travesti, que tentara roubar um cliente dela diante do seu nariz. O carro tinha parado no limite entre o território de uma e outra, Patricia viu a outra abrir a porta do Fiat Uno escangalhado e ficou puta, bateu a porta com uma pernada e agarrou os dedos dela. Quando o carro arrancou, ela arrastou a pobre travesti, que gritava desesperada, por alguns metros.

Eu estava lá, com minha garrafinha de Coca-Cola cheia de rum, disposta a fazer mais alguma grana e a dar a noite por terminada, quando a travesti conseguiu soltar da mão dela e rodar pelo asfalto. Então, A Pato pulou em cima dela como um gato-selvagem e sentenciou: "Falei pra tu não roubar mais cliente meu". Na sequência, com uma navalhada, abriu a bochecha dela e saiu correndo até se perder nas ladeiras do

Parque, enquanto as poucas que restávamos levamos a ferida ao pronto-socorro, onde nos recebe um médico de plantão perguntando: "Que novidade as garotas trazem hoje?", enquanto ele mesmo costura a bochecha da ferida e a manda para casa. "Comportem-se", diz ele quando nos vê de saída.

Não sabemos nos portar bem ou mal, seguimos pelo mundo com toda a nossa vida sobre nós, que cabe numa bolsinha furreca comprada na rua San Martín ou na Ituzaingó. Fazemos o bem e o mal sem consciência e às vezes nos encontramos todas tomando café da manhã no McDonald's, enquanto as pessoas nos olham com o desprezo habitual, e às vezes brigamos todas juntas como um saco de gatas e fugimos em manada quando percebemos que está vindo a viatura do Magro do Quarto, o famoso Magro do Quarto de quem nos borrávamos de medo.

Nesses casos, o melhor refúgio é a vala do Parque, que na verdade não é só uma. Naquelas valas, que têm o tamanho de um sarcófago, deitamo-nos como múmias e nos cobrimos com ramos. Marcamos os lugares aonde costumamos nos esconder até que as luzes azuis das viaturas não sejam mais vistas. A espera às vezes se faz tão longa que começamos a cochichar, deitadas em nossos sarcófagos. Assim, descubro que Patricia está namorando um malaco e que a dupla anda batendo carteiras pela rua.

Fecho os olhos e imagino a cena que a colega me conta, ali jogada na vala com os pés enredados aos meus. Vejo A Pato esperando o coletivo e o mendigo que passa e lhe pede um trocado. Só de charme, ela dá algum para ele, que, em agradecimento, mostra para ela a serpente morta que despenca da sua braguilha até os joelhos, que ela toma nas mãos e pesa como se tratasse de um vulgar salame colonial. Ele diz para ela ter cuidado, pois pode se machucar, e ela responde que nada pode machucá-la, muito menos aquilo.

E partem juntos do ponto de ônibus, no caminho compram uma cerveja e terminam na Plaza Áustria, palco de orgias de homossexuais vorazes e perfumados que andam à caça do cadáver do amor, terra de desdentados e marginais, de maltrapilhos e desconjuntados, de mortos e degolados. Mas ela não tem medo de nada, e ele parece um cachorrinho abandonado nas profundezas da noite. E, nessa terra de ninguém, eles selam seu matrimônio.

A Pato o leva para viver na casa dela e começa a sustentá-lo. Vivem na sua casinha de tijolos sem reboco em Coronel Olmedo, gelada como uma manhã de inverno, com piso de cimento sem terminar. Ela aperta contra seu ventre esse malaco sem passado, sem pai nem mãe, sem lugar para onde ir, sem ambições e sem coragem, aperta-o contra seu ventre e o toma para si.

Certa noite, chega ao Parque com o malaco. Estão vindo do Estádio del Centro, andaram metendo a mão nos bolsos da concorrência. Ela fica dizendo "meu marido" para quem quiser ouvir e quase se desentende com uma das travestis porque acha que esta estaria olhando para seu namorado, que já anda muito passado de idade e desnutrido para parecer atraente a quem quer que seja, de modo que a coisa fica por isso mesmo. Por esse motivo, pela dúvida, prefiro não olhar muito para ele. Mas me faz recordar de um casalzinho de aleijados que vi na farmácia certa vez, ela com o corpo completamente fora do eixo, uma perna ia para um lado e a outra ia para o outro, e ele meio devagar e bobalhão, com baba espumando pelas rachaduras da boca, mostrando a receita emitida pela assistência social, fazendo-se entender como dava para o farmacêutico.

Depois segui os dois pelas ruas do centro, a poucos passos, pensando que às vezes tudo parece perfeito no mundo, e até os aleijados podem se amar.

Tudo pode ser tão bonito, tudo pode ser tão fértil, tão imprevisível, custa acreditar que seja obra de um deus. A linguagem é minha. É meu direito, uma parte dela me pertence. Veio a mim, eu não a procurei; portanto, é minha. Minha mãe a herdou, meu pai a desperdiçou. Vou destruí-la, adoecê-la, confundi-la, perturbá-la, vou despedaçá-la e fazê-la renascer tantas vezes quantas forem necessárias, um renascimento a cada coisa bem feita neste mundo.

Algumas semanas depois é o terceiro aniversário do Brilho dos Olhos, e levo para ele uma caixinha de música que toca "Autumn Leaves" quando se gira a manivela. É tipo uma pianola em miniatura. Pensei que a música poderia caber nas mãos do Brilho, e me pareceu um presente bonito.

Encontro Tia Encarna cansada. Diz que é mais fácil criar um menino quando se é o pai. Diz que os pais se comprometem menos afetivamente com os filhos. E ela, por outro lado, está atada ao Brilho, pois estava destinada a ele. Não poderia mais viver se o acaso ousasse separá-los.

Enquanto isso, María, a Pássara, nos encara com seus olhos de granada, bicando as migalhas que caem das toalhas de mesa.

Rua 27 de Abril, duas da manhã de uma terça-feira. Desfilo pela Paseo Sobremonte, a rua quase vazia. Visto uma calça azul que roubei de minha mãe, uma regata curta, uma mochilinha na qual mal cabem as chaves da pensão e os preservativos, e me vejo com muita vontade de ganhar dinheiro. Os homens solitários olham para mim, os casais cochicham. Fazem isso com descaramento, não se importam que eu os perceba me escrutinando como se fosse uma oferta na vitrine. Não há reparos para sua indiscrição, mas há, sim, para a minha indiscrição no vestir. Não podem olhar outra coisa. É isso que conseguimos, as travestis: atrair todos os olhares do mundo. Ninguém resiste ao feitiço de um homem vestido de mulher, esses maricas que ousam ir tão longe, esses degenerados que capturam as atenções.

A insônia me tornava temerária nessas situações: estabelecia metas impossíveis, como não ir dormir até ter juntado o dinheiro para o aluguel do mês, ou para uma peruca, ou algum outro desses gastos absurdos nos quais era capaz de sacrificar o que ganhava com o suor do meu corpo, essa rainha caída em desgraça. É claro que, em muitas ocasiões, não atingia meu objetivo e ia deitar sem cumprir meta nenhuma. O sabor da frustração era uma das principais causas de minha insônia. Poucas coisas são piores que dormir com os olhos abertos, com o sabor da miséria na boca.

Às vezes eu me equivocava na negociação. Pedia demais para senhores avaros, ou muito pobres, ou seja, para pessoas que definitivamente não estavam dispostas a pagar o que minha intuição me ditava. Outras vezes era questão de paladar: não podia suportar a ideia de me deitar com certos espécimes especialmente repulsivos. Essa era minha regra sagrada: não entrar no carro de ninguém que me repugnasse.

Mas aquela terça era uma noite sem sorte. Regressava para casa pela 27 de Abril, quando senti que um carro diminuiu a marcha, atraído pela dança de minhas cadeiras. Olho para trás, olho para a frente, nenhuma testemunha indesejável à vista. Baixa o vidro com insulfilme da janela do motorista e aparece um cocuruto calvo, depois as sobrancelhas bastas e pretas, depois o bigode e uma voz que diz para mim:

— Como vai, preciosa?

Eu reconheço a voz e a figura. Sei que o conheço, é alguém que em algum momento foi muito famoso. Não consigo recordar seu nome. Mas é ele.

Viajo muito para trás no tempo, para quando tinha sete, oito anos e passávamos o Natal e o Ano-Novo na casa de minha avó, no bairro Los Bulevares. Vejo minhas primas recém-entradas na adolescência, com os decotes implodidos pelas tetas que se desenvolveram desde o Natal passado, incendiadas de desejo pelos rapazes e perfumadas para matar. Vejo meus primos dançando e suas namoradas vigiando para quem eles olham, doentes de ciúmes devido às sirigaitas que querem roubar sua presa. Vejo minha avó e meu avô, sentados em duas cadeiras de jardim, olhando com um sorriso bobo como sua prole dança, e logo lembro quem é o cliente que está me abordando ali na 27 de Abril: é o cantor do quarteto que deliciava a família na minha infância, que ressoava em todas as casas do bairro. Minhas primas cantavam em coro suas canções com uma das mãos no coração, como se entoassem o hino nacional. Mesmo que os anos tenham passado e esteja velho, careca e com um halo de fracasso borrando sua magnífica caminhonete, decido subir em homenagem a todas essas lembranças que galopam meu peito ao som de sua música.

Levo-o para a pensão e peço desculpas pela pobreza, pela cama pequena, pelos poucos móveis que não combinam entre si, pelas bugigangas dependuradas nas paredes. Chama a sua atenção o fato de eu ter brinquedos da minha infância. Usa um perfume barato, desses que meu pai exalava quando saía para suas peregrinações etílicas pelos bares do povoado. Todos os amigos dele usavam aquela loção pós-barba, que era pior que catinga de cachorro: uma vulgaridade viscosa que infectava o ar. Eu era pobre, claro, mas cheirava a Calvin Klein. Sabia a diferença abissal entre não usar nada e borrifar aquela horrorosa loção. O abismo das pretensões.

Meu cantor se despe, a vida de excursões deformou seu corpo até deixá-lo como o de uma cadela vira-lata prenha. Dou meu melhor, o melhor que posso, com o pouco amor que tenho para dar naquela noite de cansaço. Ele parece gostar mesmo assim. E me diz: "Gatinha, fique assim", "Gatinha, sobe aqui", "Gatinha, não faça isso".

No momento em que finalmente sincronizamos movimentos, alguém bate na janela do meu quarto. Ele fica nervoso quando ouve as batidas, bastante nervoso. Começa a se vestir enquanto diz que é uma pessoa conhecida, que estava crente que ficaríamos tranquilos, que menti para ele. Enquanto discutimos, o outro cliente se cansa de insistir contra o vidro da janela. É minha única chance de agradecer àquele ídolo do passado pelas noites de felicidade e baile de minha infância, mas não encontro a maneira de fazê-lo relaxar. Tento mil truques para que me perdoe, juro que nunca me aconteceu aquilo. E é verdade: jamais acontecera de estar galopando um cantor de quarteto e ser interrompida por outro cliente.

Mas não teve jeito. Além de tudo, não quis me pagar. Foi embora ofendido, cantando pneus da sua caminhonete quatro por quatro pela rua deserta. Antes de sair, pediu que eu me assegurasse de que não havia ninguém de butuca lá fora, para que sua imagem surrada não corresse perigo. Fiquei com tremeliques de frustração e alegria no quarto da pensão impregnado do seu perfume decadente. Só pensava em ir até um telefone e ligar para minhas primas, lembrando aqueles natais de beijos sob a figueira e danças frenéticas ao som das músicas daquele cantor de quartetos, quando a vida parecia uma flor se abrindo pouco a pouco através da pele dura de um cacto.

Depois que o ruído da sua enorme caminhonete se perdeu na noite, preparei um chá e me sentei para escrever, algo que fazia com frequência ao terminar minhas noites de ronda. Mas não consegui escrever nem uma página. O outro cliente voltou ao ver que a caminhonete já não estava ali e bateu na minha janela, e não tive remédio senão interromper o que escrevia e voltar a trabalhar.

Começou a temporada de caça. O bairro inteiro nos persegue. Querem a matança das travestis. Que os jornais anunciem isso, que filmem os noticiários, que depois isso conste nos livros de história: "Hoje recordaremos a matança das travestis".

O Brilho corre perigo na pensão da Tia Encarna. As pichações aumentaram, os insultos são cada vez piores, cada vez mais cortantes. Vamos escondidas pelas ruas: lenços, chapéus, gorros, cachecóis, com o coração a ponto de dizer chega enquanto esperamos alguém bater em nossa porta. Onde meus pais estariam naquele momento? Como esta vida é possível?

Numa noite daquelas, entro num carro com dois morenos bem simpáticos que me levam a um mercadinho no Barrio Yofre, de frente para a rodovia. São três da madrugada. No caminho, o que dirige elogia meu perfume. Oferecem cocaína de um sacolé aberto a mordiscadas. Eu vou no banco traseiro com um deles, fazendo das minhas. Nem o aperto daquele carro pequeno nem os veículos que passam ao lado buzinando impedem que eu me dedique a fazer das minhas. Gosto dos dois, em especial do que está ao meu lado. O carro freia no meio de uma colina e entramos em silêncio no mercadinho, pois pertence à mãe do que está ao volante e ela costuma despertar ao menor ruído.

No depósito, que parece um purgatório entre o mercadinho e a casa, entre sacos de balas e caixas de cerveja, cumpro com minha obrigação. Em seguida, o filho da dona da casa pede para ficarmos quietos. Ouve-se a voz da mãe, que o chama, perguntando com quem ele está e o que está fazendo. "Nada, mãe, viemos buscar umas cervejas. Vai dormir, já é tarde", ele grita para ela. Mas a mãe insiste e insiste, até o rapaz dizer que não vamos poder ficar ali.

O outro, de quem eu gosto, oferece seu apartamento, que fica a algumas quadras dali. Vestimos nossas roupas, levantamos acampamento após pegarmos três cervejas no *freezer* e vamos para a outra casa. Desta vez, o de que gosto vai dirigindo. Ele é o que se costuma chamar de "presente dos céus". Não tem um milímetro de pele que não seja pura tentação. Cheira bem, veste-se bem, tem olhos verdes e um corpo feito de pedra. O acompanhante é o contrário: um fracote nervoso e cocainômano que cheira mal, veste-se pior ainda e me trata com estupidez.

Chegamos. São quase quatro da manhã. Não tem ninguém na rua. Entramos na casa, pedem que eu me deite na cama. É o momento-chave de autopreservação: a pele toda alerta, como a língua de uma víbora que tateia o ar. É o momento em que o cliente começa a dizer o que quer e acredita ter direito a exigir algo. A pele de toda prostituta se arrepia nesse momento. Toda prostituta deve fazer o que quer; o desejo do cliente não conta. Uma puta que se preze nunca cede. É o momento de fazer o cliente se dobrar ao desejo da puta e crer que esse é o desejo dele. E fazê-lo pagar por isso.

Na mesa de luz há um frasco grande, daqueles usados para guardar azeitonas nas mercearias, mas está cheio de moedas. Das paredes pendem armas que associo a artes marciais. Paus de todos os tamanhos, fálicos, por onde quer que se olhe. Os rapazes me oferecem cocaína e *ecstasy*. O apartamento é espantoso. Poderia morrer de depressão só com a feiura que me rodeia, lembra o gosto dos meus pais para decorar a casa deles.

Estou nua na cama. Eles também se despem e começam a brincar comigo. Estamos ali, três corpos desnudos, um visivelmente vulnerável diante dos outros dois. Dá uma vertigem entregar-se assim a tais situações. Em certo momento, começo a me sentir enjoada, com ânsia de vômito. Peço que me deixem respirar, e eles se afastam. Caio mansamente adormecida. Nunca em minha vida dormi desse jeito. Tudo escurece e entra em pausa.

Abro os olhos quando já amanheceu. Uma luz incômoda se infiltra pelas cortinas. Eles já estão vestidos, sentados diante do computador. Veem pornografia e bebem cerveja. A princípio, não entendo onde estou nem com quem. No monitor, sucedem-se imagens de garotas peladas, todas estão adormecidas enquanto eles as penetram com os paus que pendem da parede, com garrafas, com seus próprios braços. Em seguida vejo a mim mesma na tela, com uma garrafa de cerveja saindo da minha raba e a cara de um deles apoiada na minha anca.

Lindo retrato para enviar como cartão de Natal. Finjo dormir sem ter visto nada. Não consigo ouvir o que dizem. Estou fraca demais. Adormeço outra vez.

Sonho com a beira de um rio. É um lindo povoado com o rio mais belo do mundo. É um entardecer vermelho, eu caminho pela ladeira que vai dar na água, os salgueiros cobrem o céu. Quero voltar ao povoado, quero voltar ao meu quarto. Dos galhos dos salgueiros pendem morcegos do tamanho de uma pessoa. Estão adormecidos. No chão, esparramados como os restos de um banquete, vejo ossadas de vacas, ossos de tamanho grande, moscas, e sangue enlameando o chão. A sensação de asco me desperta.

Apoiada nos braços, consigo me erguer; toco-me e entendo na hora que eles fizeram comigo tudo o que tiveram vontade. Tem porra no lençol, além de manchas de merda e de sangue. Eles continuam de costas diante do computador. Solto um pigarro. Eles dizem: "Você dormiu". Ah, vá. As pálpebras estão pesadas. Faz frio, o sol já não entra pela janela, mas a luz segue incômoda. Volto a dormir.

Quando desperto, vejo ao meu lado aquele de quem gosto, também adormecido. O outro, o desagradável, continua cheirando cocaína em frente ao computador. Está nu e se masturba. Quando me vê acordada, aproxima-se e quer outra vez, mas não consegue manter a ereção. Longe de desistir, volta a tentar enquanto seu amigo desperta e observa. O brocha se enraivece comigo, diz-me que sou incapaz de deixar o pau dele duro. Não tenho forças para nada, mas, em vez de resistir, atuo. Atuo melhor que Jessica Lange e Anna Magnani e Annie Girardot e Marlene Dietrich, convoco todos os meus fetiches da atuação e elas vêm em meu socorro.

Finjo atração por meu agressor. O outro está um pouco mais sóbrio e despertou de bom humor, o lixo puro. Eu o atraio para mim e digo que quero terminar a festa sozinha com ele. Que não vou cobrar nada dele, porém é melhor irmos para minha casa, assim ficamos tranquilos. Na minha casa tenho todos os prazeres que se possa imaginar. Sou uma garota armada até os dentes para a festa.

Ele reveste a situação com um véu de sensatez. Pede um táxi para seu amigo e me leva para casa no seu carro. No caminho, começo a tremer, e ele acredita que vou morrer ali mesmo. "Não vá morrer no meu carro, magricela", diz. Eu mal consigo responder.

Ao chegar à pensão, despenco contra a porta ao tentar enfiar a chave. Ele se assusta. Consegue me arrastar até meu quarto e desaparece. Durmo um dia inteiro. Quando desperto e vejo a hora, o dia, o mês, tomo um banho a toda a velocidade e saio para a faculdade. Um professor me aguarda.

O Parque, sem Angie e sem Tia Encarna, ia perdendo seu espírito, mas terminou de ser arruinado quando o encheram de luzes, quando decidiram combater a clandestinidade do nosso ofício, a beleza da penumbra. Não somos criaturas da luz, somos animais da sombra, de movimentos furtivos e tênues reverberações, como são tênues nossas resistências. A luz nos delata, nos expulsa. Não podemos conviver com a vida nova que povoa o Parque.

Assim, se inicia o êxodo das travestis. Para lá vamos, expulsas do paraíso, como vítimas de um bombardeio. Somos refugiadas, interpretamos a cidade de maneira diferente dos demais, temos de procurar para nós outra terra prometida onde trabalhar, exercer nossos encantos. O Parque fica para os esportistas, as famílias, as escolas de arte e a nova delegacia que diz combater o narcotráfico com suas viaturas e sirenes.

Para lá vamos, as travestis em cima dos saltos que parecem pés apodrecidos de mesas inúteis. Arrastam-se a si mesmas, abandonam o território da penumbra, da beleza, do verde. Privadas de refúgio, fustigadas pela luz, decidimos reformular nosso comércio, nossas esquinas, optamos por trabalhar em nossos apartamentos e aproveitar toda oportunidade de *business* que a sorte nos oferecer.

Fomos novamente confinadas à solidão, à desconexão. Estamos incomunicáveis. Nosso vínculo era a frequência com que nos víamos, que se enfraquece com a ausência de um lugar comunitário. A sociedade não pode nos ver juntas, de modo que nos expulsou do Parque. Estamos na antessala da morte, diante do Letes, já nos obrigando a provar o primeiro gole de suas águas.

Escolho a sacada do meu quarto de pensão como novo posto de trabalho. Uma sacadinha baixa que delineia minha estampa travesti. Espero até bem tarde para usá-la. Nem minhas colegas de pensão nem o dono podem me ver. Tenho que dissimular muito o motivo pelo qual paro na sacada como uma virgem falsa que usurpa o lugar das verdadeiras virgens.

Assim me converto em testemunha da noite do bairro. Vejo ratazanas do tamanho de um gato, vejo rinhas de cães, brigas de vizinhos, ouço também como gemem ao trepar no meio da noite. Sou testemunha silenciosa e invisível dos roubos, das surras, das moças que passam chorando pela rua, das caravanas que regressam dos bailes em todos os estados possíveis.

O mundo da solidão, o raro prazer da contemplação.

Sei viver assim, sem ver minhas irmãs, sem cruzar com elas. Minhas visitas à casa da Tia Encarna se tornam cada vez menos frequentes. Estou preparada para viver assim. Sou capaz de andar a sós. Foram elas que me ensinaram a sobreviver.

Um dia decido visitá-la, mas ninguém me atende na pensão. Espero na porta, atenta ao olhar dos vizinhos sempre dispostos à agressão ou ao ataque. Na semana passada, machucaram a cabeça de Abigail com uma pedrada quando ela entrava com as compras da semana. Observo um homem vindo pela rua, que traz um menino vestido com uniforme quadriculado, saído do jardim de infância. Olho fascinada para eles sob o efeito da maconha e do meu disfarce anônimo. São bonitos.

Quando já estão bem próximos, o homem diz ao meu ouvido:

— Tu me assustou, quase passo reto.

Como não reajo, acrescenta:

— Sou eu, Encarna.

Olho com surpresa e logo reconheço nossa mãe sob aquele rosto estragado pela barba e aquela roupa folgada que não esconde por completo as tetas de silicone. O Brilho cresceu na velocidade da luz, já consegue dizer meu nome. Encarna me faz entrar depois do menino e bate a porta. Entramos no coração selvagem do quintal dela.

— Tudo muda — diz a Tia.

María, a Pássara, foi recolhida numa gaiola disposta estrategicamente na cozinha para protegê-la dos gatos.

— Não canta mais — diz Tia Encarna ao se desfazer dos trajes masculinos e preparar a merenda do filho.

Sim, as coisas mudam, mas nem tanto. Por baixo, indomável, vejo aparecer o corpo da mulher que tanta saudade me dava, até a loucura, o corpo de nossa mãe, a quem renunciamos sem saber por quê. Tia Encarna aponta para María e conta que foi O Brilho quem descobriu que os gatos queriam comê-la. Pôs-se a gritar como um louco, apontando para ela e dizendo: "A tia, a tia!". A pobre María não sabia se defender, nunca soube.

O Brilho dos Olhos acaba de tirá-la da gaiola e esparrama migalhas de pão pela mesa. Não sei o que dizer. Encarna explica que estava vestida daquela maneira para levá-lo ao jardim de infância, assim as pessoas não questionam. A mãe de um coleguinha quis convidar O Brilho para brincar em sua casa, disse que os meninos se davam bem, mas Encarna ainda não se decidiu. Ela conseguiu documentos para O Brilho.

— É meu filho. Está no sistema, ninguém mais pode tirá-lo de mim — diz.

María come as migalhas de pão. De tempos em tempos, olha para mim, mas seus olhos perderam a expressão humana. Encarna diz que é culpa do medo: depois que os gatos a atacaram, perdeu a humanidade e deixou de voar. Ecoa muita tristeza em sua voz ao dizer isso. Depois ela liga a televisão e coloca O Brilho dos Olhos para assistir a um programa infantil. Retira da mochila dele um caderno e mostra os desenhos que O Brilho fez, com giz de cera, com todas as cores. Ele a retratou como homem e como mulher, e no meio, segurando a mão de ambos, desenhou-se a si mesmo, soltando raios amarelos do seu coração, como se fosse um sol.

Com a unha cortada, sem esmalte, sem anéis na mão desnuda, Tia Encarna aponta suas duas versões e me diz que mentiu no jardim de infância, dizendo que era viúvo.

— Falei que a mãe morreu no parto. Fiz isso por ele, para que tenha uma vida normal. Apareço como Antonio Ruiz no documento. Por isso deixei a barba crescer: para a foto do documento.

Tia Encarna ingressara na vida branca. A vida do camaleão, a de adequar-se ao mundo tal e qual ele é. Conta que O Brilho sabe de tudo. Não há nada a esconder dele. O menino é muito sabido. Nesse momento, ele deixa de olhar para a televisão e diz: "Sim, eu sei tudo. Ela é minha mamãe e meu papai. Nem todos os meninos do mundo têm essa sorte".

Pensei em como o amor se desintegrava em todas as famílias, mas eles dois não eram uma família; o título de família era insuficiente para eles. O deles era um amor muito maior, era toda a compreensão de que era capaz o ser humano.

— Ele nunca se confunde — diz a Tia. — Lá fora sempre me chama de papai, e aqui dentro sou sua mamãe. Seria complicado se ele não fosse inteligente.

María, a Pássara, salta da mesa tentando voar, mas cai no chão. O Brilho a toma entre as mãos e forma um ninho com elas. Com sussurros, ele a induz ao sono, até que María se entrega e permanece completamente imóvel. O Brilho se levanta e vai para o seu quarto.

— Não me diga nada — diz Encarna.

E eu a obedeço. Não lhe digo nada. Ficamos as duas em silêncio, tomando mate enquanto escurece no quintal.

A notícia chega por meio das pombas mensageiras que se cruzam na noite: Natalí morreu. Encontraram-na assim quando abriram o quarto onde ela se confinava a cada lua cheia. Sandra a encontrou, pois andava dormindo na casa da Tia Encarna para evitar uns *dealers* que a acusavam de lhes ter passado dinheiro falso.

Sandra tinha saído para o quintal a fim de olhar a geada: foi naquele dia que quase nevou na cidade. Eram tamanhos o silêncio e o frio que ela soube ali mesmo que a morte andava solta pela casa. Chamou Tia Encarna e ninguém respondeu. Chamou as outras garotas e ninguém respondeu. Finalmente, foi até o quarto onde Natalí estava confinada e encontrou o cadeado aberto e nossa amiga jogada no piso como uma cachorra morta, congelada, pesada como um baú cheio de livros. Sandra permaneceu sobre o corpo da defunta até que o frio ameaçou congelá-la também. Então foi pegar uma manta para dar-lhe, senão calor, ao menos algo de dignidade na morte para a nossa lobiscate, a única travesti que odiava a lua cheia. Chorou sua morte dessa forma, até que fôssemos chegando, primeiro Tia Encarna e O Brilho, depois todas as outras, à medida que íamos sabendo da notícia.

No beco sem saída onde a vida de todas as travestis desemboca, sempre dando combate sob a intempérie, tratando de trocar um corpo morto por um vivo, um corpo que respire e resista, que sobreviva às mil mortes que a Parca nos impõe no caminho. Assim Sandra chorou por Natalí, com a ingênua esperança de que nossa lobiscate despertasse como costumava despertar de cada um dos seus confinamentos, mas dessa vez nada aconteceu.

De uma em uma, chegamos para consolar Sandra e chorar a nossa irmã. Ao nos receber, Tia Encarna esculhambou a todas, chamando-nos de covardes por deixarmos de visitá-la desde que a vizinhança se tornou hostil.

— Não mando todas para o olho da rua porque não quero que meu filho ache que sua mãe devolve merda quando recebe merda. Quero que ele aprenda a devolver flores mesmo que receba merda, quero que saiba que nascem flores da merda. Por isso não as boto no olho da rua: porque compreendo a dor desta cachorra morta, aqui entre nós, esta vagabunda que soubemos considerar amiga. Não será por sua mãe que este menino vai conhecer as misérias do ser humano. Tem uma cachorra morta no meu quintal. Era nossa irmã. Somos todas da sua laia e vamos todas morrer algum dia como ela. O velório é lá no fundo: entrem.

Nossa Machi Travesti já estava lá, no fundo do quintal, de volta à magia depois da morte de Lourdes, fumando seu cigarrinho, mandando para os peitos tragos de vinho enquanto percorria com a palma da mão o ar sobre o corpo morto de Natalí. Todas nos somamos ao seu canto triste, obscuro, cíclico, interminável. Cantávamos com voz estrangulada pelo esforço de atingir as notas agudas, mas também nos estrangulava o significado daquele ritual, como se desse para pressentir que seria o último rito que compartilharíamos: nossa época de reunião de bruxas, de troca de perucas e vestidos, de segredos e lágrimas, de canções e bebedeiras estava terminando naquela manhã gelada. O cimento de nossa história se dissolvia, as colunas em que nossa magia se apoiava, a nossa religião, cediam sem remédio.

Pouco a pouco, chegaram nossos enlutados, os bons clientes. Os negros maciços e sexuais traziam consigo sua pena de escravos. Os pequenos e elegantes amarelos traziam sua sabedoria ancestral frente à dor. Os Homens Sem Cabeça faziam fila na calçada e deixavam passar todos na sua frente, com o chapéu nas mãos e o olhar sem assombro de quem já vira mil guerras. Até as colegas mais veteranas de ofício, as mães de todas as travestis, a quem dávamos por extintas, fizeram notar sua presença com seus trapos apodrecidos e seus rostos tatuados por rugas, pois tinha chegado a elas, ao fundo da alma, a dor da morte da única travesti lobiscate, nascida como sétimo filho homem e apadrinhada pelo excelentíssimo presidente da República.

O céu das travestis deve ser belo como as paisagens deslumbrantes da recordação, um lugar para passar a eternidade sem se entediar. As lobas travestis biscates que morrem no inverno são acolhidas com especiais pompa e alegria, e naquele mundo paralelo recebem toda a bondade que este mundo mesquinho lhes negou.

Enquanto isso, as que permanecemos por aqui, bordamos com lantejoulas nossas mortalhas de linho.

* * *

Depois daquele velório, deixo definitivamente o Parque. Não sei mais nada de ninguém. Escolho não saber, exerço meu direito de me distanciar da tristeza. Eu as vi morrer e não quero ver mais ninguém morrer. As putas que eram minhas amigas desapareceram. Enviamos sinais de fumaça umas às outras, sinalizadores no céu, comentários subterrâneos de tanto em tanto, mas a perseguição policial não nos dá respiro.

Nunca saberei totalmente quem deixou quem: se fomos nós, ao nos desagregarmos, ao permitirmos que invadissem nosso território, as que entristecemos aquele Parque com nossa ausência, ou se foi ao contrário. O comércio começou a minguar, com menos clientes a cada dia, pois tanto eles como nós temíamos que a polícia nos flagrasse com a mão na massa. Os jornais e a televisão diziam que, com a nova iluminação do Parque, acabariam a delinquência e a prostituição. Para mim, sempre pareceu que nos viam como baratas: bastou acender a luz para que todas saíssemos correndo.

Contudo, ao perder o Parque, perdemos a rede de proteção que funcionava para nós, mas só pelo mero fato de estarmos ali todas juntas, para nos defendermos em caso de ataque, para fornecermos clientes àquelas que não tinham trabalho, para acertarmos a maquiagem ou dividirmos a garrafa de gim ou simplesmente conversarmos quando o frio e a desolação eram insuportáveis. Algumas mantiveram contato comigo porque eu era a mais jovem da manada e todas queriam ter algum poder matriarcal sobre mim. Algumas me aconselharam bem, outras, como puderam.

* * *

Aos poucos, comecei a trabalhar pelas ruas do meu bairro. E alguns taxistas me conheciam como A Garota da Rua Mendoza. Minha pensão ficava bem na metade da quadra, equidistante em relação às duas esquinas.

Chovia na noite do Homem do Guarda-Chuva Preto. Eram três da madrugada. Já fazia uma semana que eu me alimentava só de pão preto com mate, mas não me decidia a sair para trabalhar. Sob aquela garoa que espantara todos os transeuntes, vi da minha sacada uma figura de sobretudo que vinha caminhando languidamente, toda vestida de preto, com um guarda-chuva preto que devia ser muito caro, pois mesmo da minha sacada era possível ver o cabo de madeira lustrosa. Creio que era o guarda-chuva mais elegante que eu já tinha visto em toda a minha vida.

Quando se aproximou mais, eu me dei conta de que estava bêbado, mas eu não tinha problema com isso. Nunca tive problemas com isso: o alcoolismo dos clientes é bastante frequente, e eu já estava curtida pelo alcoolismo do meu pai. Tinha uma ou outra que não queria trabalhar com bêbados, não podiam lidar com a violência que o álcool desperta nos homens. É necessário somar a isso o fato de os bêbados não terem boas ereções, e era um problema o tempo que levava para fazê-los acabar. Mas O Homem do Guarda-Chuva Preto era tão bonito que não me importei que estivesse bêbado. Quando alguém está cansada de dar amor para os feios, topar com um cliente de sorriso de marfim, que diz como você está linda debaixo da chuva que bate na sacada, e além disso tem a sensatez de não fazer referências cafonas a Julieta esperando Romeu, é um golpe de sorte.

O preço do amor era trinta pesos, sem limite de tempo. O Homem do Guarda-Chuva Preto o aprovou, de modo que entrou e tirou a roupa. Era pálido e magro. Um lagarto albino, muito educado. Em geral os bêbados passam ridículo, dando aquelas voltas todas para parecerem educados, mas ele não. Fizemos o que deu com o pouco que havia e depois o deixei ficar para dormir.

Não é bom dormir com cliente. Com muitas ocorreu de acordarem depois e encontrarem a casa esvaziada. Outras, menos afortunadas, nunca despertaram: seu cadáver foi notícia anônima, como aqueles sapos esmagados na estrada. Mas eu estava muito cansada e adormeci ao seu lado, naquela cama que tinha desde os dez anos e que me machucava tanto quanto morder a língua quando a usava profissionalmente.

Acordei com os ruídos dele. O bêbado estava vomitando ao lado da cama, em cima do meu vestido e dos meus sapatos. Levantei-me e tentei esfregar suas costas, a fim de ajudá-lo ou confortá-lo, só que ele me empurrou e continuou a vomitar mais um pouco. Entre as golfadas, murmurava "Perdão, perdão, perdão", mas estava tão bêbado que mal conseguia balbuciar. Quando terminou de vomitar, ergueu-se como pôde, baixou a cueca e começou a mijar na parede. Não se importava ou não se dava conta de que estava respingando na cama. Somente murmurava, ruborizado de vergonha: "Perdão, perdão, perdão".

Quando terminou, ameaçou limpar; no entanto, falei que seria melhor se ele fosse embora de uma vez, que me pagasse e fosse embora. Ele fuçou na calça, dependurada no espaldar da cadeira, sacou a carteira, jogou trinta pesos sobre a mesa e começou a se vestir. Sempre gostei do modo como os bêbados se vestem, a falta de lógica, os raros momentos de súbito equilíbrio. Quando enfim terminou de fechar as calças, voltou a fuçar na carteira, enquanto eu continuava a observá-lo, nua num canto da cama, tentando não pensar no meu vestido e nos sapatos vomitados. De repente, falou:

— Faltam cem pesos.

Respondi dizendo que devia tê-los perdido no caminho, pois havia chegado muito bêbado. Contudo, ele continuava a acusação, alegando que faltavam cem pesos, e agarrou as três notas de dez que deixara sobre a mesa e as guardou de volta.

— Ninguém rouba cem pesos de mim — disse, enquanto tentava fechar os botões da camisa com a lentidão que a bebedeira e o vômito lhe porpocionaram, até que se cansou dos botões e tirou do bolso das calças uma navalha que abriu com um movimento eficaz e a apontou diretamente para minha garganta: — Devolva os meus cem pesos.

E me atirou na cama, apertando meu pescoço com uma das mãos e encostando o fio da navalha contra a pele, enquanto repetia para eu lhe devolver os cem pesos. Asfixiada pela pressão, consegui dizer que procurasse pela casa inteira, mas não encontraria nada. Ele me largou com intenção de fazer isso, mas na manobra pisou no próprio vômito, deu uma patinada e caiu de quatro.

Talvez tenha visto a si mesmo naquela condição, chapinhando no próprio vômito e mijo, ameaçando com uma navalha uma travesti de vinte anos por causa de cem pesos que certamente ele tinha gastado em álcool algumas horas antes. Então começou a repetir sua cantilena anterior "Perdão, perdão, perdão", enquanto eu alcançava um ferro que guardava debaixo da cama para me defender nessas situações, e falei para ele deixar os meus trinta pesos e cair fora. Ele deixou a carteira, nem sequer se deu ao trabalho de abri-la para tirar as notas. Pegou seu sobretudo preto e foi embora com os olhos cheios de lágrimas. Ouvi-o murmurar sua litania pelo corredor e esperei até deixar de ouvi-lo para me levantar e começar a limpar aquele desastre.

Só quando ele fechou a porta da pensão percebi que esquecera seu guarda-chuva de cabo tão fino. Usei-o durante anos, até que o perdi não me lembro como. As pessoas sempre diziam que era um guarda-chuva muito distinto e valioso, e eu pensava o mesmo. De fato, foi o que repeti para mim mesma enquanto limpava o chão, a parede, trocava os lençóis, punha o colchão para secar, lavava meu vestido e passava algodão com álcool nos meus sapatos.

Quando despertei, era mais de meio-dia, convidei algumas amigas para tomar um lanche com aqueles trinta pesos, e todas concordaram que o mais correto era gastar o dinheiro desse modo, enquanto se alternavam para admirar meu guarda-chuva novo.

Marco um horário com A Machi Travesti e vou para sua casa, que fica num conjunto habitacional, ao fim de um corredor longo e úmido que desanima qualquer inquietude espiritual. Espera-me no umbral fumando um dos seus cigarros, de bata e chinelos. De sua casa saem dois gatos pretos que passam entre minhas pernas e desaparecem.

— Não se preocupe — diz. — São fêmeas, não pega nada.

Convida-me a entrar no seu apartamento cheio de carpetes e tapetinhos de crochê. Passa um filme pornô no televisor. Ela tira a toalha da cabeça e seca o cabelo na minha frente, sentada com as pernas abertas e a cabeça para baixo.

— O que a traz aqui?

Começo a falar, sem saber muito bem do que, e choro. Ela não olha para mim, parece que só se importa com seu cabelo. Eu digo que estou muito cansada. Que vim por causa do cansaço. Já faz algum tempo que meu cabelo começou a cair. Uma noite em especial foi terrível: começaram a cair tufos de cabelo em cima do corpo de um cliente, como flocos de neve. Quando ele se levantou da cama, sua silhueta ficou desenhada no lençol e, ao redor, mechas do meu cabelo.

— Não quero ficar careca — digo, entre soluços.

A Machi diz que não preciso de nenhum remédio. Continua agachada com a cabeça entre as pernas, agora penteia sua longa cabeleira ruiva que toca o solo. Dali, sem olhar para mim, diz que o corpo do homem sempre reclama. Nunca nos deixará tranquilas, está ressentido por causa do que fazemos. O que fazemos?, eu pergunto, e ela responde:

— Ainda não sabe?

Em seguida acrescenta que existem tratamentos, certos hormônios que estimulam o crescimento do cabelo. E que não podia ficar triste por isso, que há coisas muito piores. Quando termina de se pentear, vai até a cozinha e volta com uma bandeja de amanteigados e duas xícaras de café.

— Teu problema é que você é habitada por um duende triste e sombrio — diz.

Era preciso ter cuidado com esse duende. Não era eu a triste nem a sombria: era o duende que às vezes ficava adormecido e às vezes despertava e queria tomar conta de tudo. As gatas entraram pela janela e se acomodaram uma contra a outra no sofá forrado de courino alaranjado.

— Elas também perdem pelo. Aos montes. Não sei o que fazer de tanto pelo que elas perdem — disse A Machi ao acariciá-las. As gatas se deixavam acariciar, pareciam ser capazes de passar o dia ali deitadas, sem se dignarem a olhar para a gente. — Acho muito sábio isso de dormir — disse A Machi. — Às vezes é tudo questão de sono.

Parti sem lhe confessar o que eu mais temia: que, à medida que meu cabelo cai, meus traços vão ficando mais e mais parecidos com os do meu pai. Sabia que era devido ao cansaço, que tudo era questão de repouso. Mas minha testa continuava a se alargar dia a dia, e meu rosto, como o de um homem aprisionado ali, estava se tornando cada vez mais ameaçador.

Inventaram várias histórias para justificar o suicídio de Sandra. Por exemplo, disseram que uns *dealers*, a quem tinha passado notas falsas, estavam atrás dela. Mas um desses *dealers* era o namorado de Sandra. Um sujeito conhecido como El Pacú, porque era de Entre Ríos e porque tinha a pica do tamanho de um pacu – chegava a parecer meio deformada de tão grande. Só que isso não bastava para deixar Sandra feliz. Apesar de ter um animal daqueles para cuidar dos assuntos da carne, Sandra andava sempre de cara feia e olhos tristes como os de uma cachorra velha.

E piorou depois de encontrar o cadáver de Natalí. Era uma época difícil para todas: todos os dias acabávamos sabendo da morte de alguma da manada. Mas Sandra era insegura de nascimento: sofria para enfrentar qualquer problema, mesmo a menor dificuldade cotidiana era, para ela, o fim do mundo. E acabou encontrando aquele boneco que decidia tudo por ela, cuidava do dinheiro dela, decidia seus horários de trabalho.

Sandra se encarregava de vender uma ou outra coisinha para o namorado, que era um típico brucutu capitalista que a obrigava a vender o que devia ele próprio traficar, mas não passava de um covarde, miserável, manhoso, alguém que não deixava cuzinho intocado. Mas a César o que é de César: também vale dizer que fazia umas panquecas com doce de leite banhadas em chocolate que não levavam nem dois minutos e ficavam perfeitas, era a única manifestação de beleza de que era capaz. Bem, o certo é que El Pacú aos poucos a levou para o narcotráfico, Sandra e outras incautas como ela, e em pouco tempo a zona estava assim de garotinhas que vendiam até o que não tinham a fim de satisfazê-lo. Sandra meio que se cansou de tudo aquilo, começando a trabalhar a contragosto, até lhe passarem dinheiro falso. Para castigá-la, El Pacú chutou sua boca do estômago, até algumas de nós, que andávamos por perto, intervirmos.

Não é verdade, porém, como queriam fazer crer, que Sandra se suicidou por medo de El Pacú e seus sócios. Tampouco é verdade que foi devido a um surto psicótico. Surtos tinha tido mais de um, como daquela vez em que mostrou as tetas aos gritos na frente da Plaza España, no meio dos carros que buzinavam e a xingavam enquanto ela gritava na cara deles, com as tetas para fora: "Louca como a tua mãe!", e esperávamos o semáforo fechar para ir correndo resgatá-la. Dessa vez nos arranhou e chutou e mordeu, até que conseguimos arrastá-la para a calçada e vesti-la e tentar acalmá-la, mas foi inútil. Terminamos na neuropsiquiatria, onde era, a cada vez que a internavam, a paciente mais popular da instituição.

Como tinha esses antecedentes, acabava sendo muito cômodo atribuir cada coisa que Sandra fazia à sua loucura. Contudo, aquelas que éramos mais próximas do suicídio soubemos na hora, pela discrição com que ela se deixou cair nos braços da morte, que foi consequência da mais pura tristeza. Para não sofrer, tomou um punhado de comprimidos de todas as cores e se deitou na sua cama perfeitamente penteada e maquiada, com um discreto vestido primaveril de senhorita de outro tempo. Deixou água e comida para sua cachorrinha Cocó, além da portinha do quarto entreaberta para que pudesse sair quando já não tivesse mais comida, nem água, nem dona.

Sandra confiava que aquela porta entreaberta serviria também para que encontrassem seu cadáver no primoroso estado em que o deixou. Mas teve, como sempre, azar: quando a encontraram, seu corpo estava inchado, descolorido e hediondo. Não havia carta de despedida, mas, na geladeira, preso por um ímã, deixou um bilhete em que pedia que todos os seus móveis fossem para a Tia Nené, que, depois de muito velha, animou-se finalmente a viver como travesti e não tinha onde cair morta.

Assim foi o triste fim de nossa irmã Sandra, a louca, a suicida, a narcotraficante de pouca importância, a mais indecisa, a mais pura, a que sempre manchava a pele com cera de depilar, a que nos descolava Rohypnol, a que se gabava de ter feito programa com o governador da província, a doce e triste Sandra.

Depois daquele suicídio, tentamos nos tratar melhor umas às outras. Evitávamos o humor cáustico e até nos atrevíamos a dar abraços.

Eu procurava por outros ninhos. Pedia ajuda. Mas havia entre nós algumas que não conheciam vida diferente. Para estas, desde que o mundo era mundo, não existia outra realidade. Vejam, se não, essas duas travestis feias que mudam de calçada quando são xingadas do interior de uma oficina mecânica. Com o enfeite que sobressai do seu anel, a mais velha risca um a um, até a esquina, todos os carros que estão estacionados, esperando sua vez de entrar na oficina.

Não sei exatamente em qual ordem as ameaças começaram a acontecer. Aparentemente, o pai de algum dos coleguinhas do jardim de infância do Brilho tinha sido cliente da Tia Encarna e conhecia o seu segredo. Começaram a aparecer envelopes sob a porta, pichações na fachada, telefonemas anônimos. Pouco a pouco, aquelas ameaças minaram a paciência de Encarna: num dia, considerou inútil pintar em cima das pichações e deixou que fossem se sobrepondo, com seus invariáveis erros de ortografia.

Suspeitava também das irmãs Urubus, aquelas garotas ricas eram bem capazes de algo assim. Certo dia fomos visitar Tia Encarna e a encontramos fora de si. Recebeu-nos banhada em lágrimas. O Brilho, trancafiado no seu quarto, também chorava. Perguntamos o que acontecera, e ela disse que tinha batido no seu filho. Que ele a deixou tão nervosa que bateu nele e agora queria morrer, queria que suas mãos se convertessem em pedra. Seu desespero era tão palpável que chegava a ser avassalador. Optei por me dirigir ao quarto do menino, bati na porta, e o espesso tremor de sua clarividência correu como um calafrio em minhas costas. O quarto exalava a angústia de quem pode ver o futuro e não sabe o que fazer com isso.

O Brilho se escondeu debaixo dos lençóis, pediu que eu fosse embora e, quando estava para deixá-lo sozinho, falou: "Não vai vir. Você pode achar que sim, que vai vir algum dia, mas não. Não vai vir nunca". Olhei para ele e soube do que estava falando. Soube que aquela criatura tinha acabado de me dizer algo que eu não queria escutar nem sequer de mim mesma. Perguntei-me, e quis perguntar para ele, por que me dizia aquilo, mas o menino já tinha voltado a ser a criatura assustada que acabara de apanhar da pessoa que mais amava. O oráculo havia se trancado, tinha ido embora. Aproximei-me e o abracei, tentei consolá-lo. Eis aí o mais puro exercício da maternidade, isso que é compartilhado por todas as fêmeas do mundo: abraçar algo pequeno, dar-lhe afeto, aplacar o temor.

Tia Encarna, do outro lado da porta, pedia-lhe perdão aos uivos. Não a víamos, mas sabíamos que estava de joelhos, a cara marcada por sulcos de rímel e lágrimas, as mãos crispadas contra seu peito e o duende do desespero lhe queimando por dentro.

Eu abri a porta. O Brilho disse que a perdoaria se ela parasse de gritar.

Quando parti da casa um tempo depois, falei para mim mesma que seria incapaz de fazer o que Tia Encarna fazia: dar tudo por alguém. Renunciar a tudo por alguém. Não entendia que tipo de amor era aquele, só sabia que não era capaz de dá-lo. É o mesmo que dizer que tampouco merecia recebê-lo. O menino tinha razão: o amor não viria, porque sabia que eu não poderia responder-lhe com bondade.

* * *

A noite é pesada e tinge todos os cantos com sua sombra azul; nem sequer aqueles focos amarelados oitentistas das ruas de Alberdi a alteram. Na esquina da Paso de los Andes com a 27 de Abril tem uma funerária que não fecha nunca. Um carro diminui a velocidade à minha passagem, e o motorista me pergunta como estou. Jamais respondo com honestidade a essa pergunta: em geral, respondo com uma cifra e depois me entrego ao regateio, como num mercado persa. Porque os homens não são mesquinhos apenas com sua ternura, mas também com o dinheiro que gastam em prazer. Desta vez, porém, para minha própria surpresa, respondo:

— Já estive melhor, já estive pior, mas não me queixo.

— Quer que te leve aonde? — diz, e algo no seu jeito de dizer faz com que eu detenha meu caminhar.

Os enlutados que saíram para fumar na porta da funerária olham para nós, e fico um pouco envergonhada. Olho melhor para ele, que é muito bonito, bonito de verdade, os olhos são tão claros quanto sua gentileza, tem cabelos grisalhos à Richard Gere e abre a porta do carro com um sorriso para mim. Sabe que veio ao mundo para isso, para sorrir, com aquela boca que Deus lhe deu.

Não está desesperado nem apressado, não tenta me passar a mão quando sento ao seu lado. Fala comigo como se fosse alguém especial, um amigo muito querido ou um primeiro encontro, algo fora do comum. Diz que é sua última noite em Córdoba, que está no hotel NH na rua Cañada, que a vista é bela, e pergunta se gostaria de ir com ele. Digo-lhe que sim, caso aceite meu preço. Ele sorri:

— Não é preciso ser descortês — diz.

Em seguida, entramos em acordo no que diz respeito ao preço, e ele pergunta se gosto de música. Respondo que sim, muito, mas não da que está escutando. Digo que tem uma rádio que, naquele horário, sempre toca jazz. Pede que eu mesma a sintonize, e o sax de Lester Young nos submete à sua tristeza. Duas quadras mais para a frente ele pergunta se incomoda que fume dentro do carro. Eu digo que sim e ele guarda o cigarro que estava a ponto de acender e me pede desculpas.

É a primeira vez que entro num hotel luxuoso. O recepcionista parece me conhecer, com certeza de me ver virar pela Cañada. Poderia me cumprimentar de vez em quando, camarada. Subimos. Quando abre a porta, ele me deixa entrar primeiro e depois tira da geladeirinha do quarto duas cervejas escuras que inauguram para sempre minha fraqueza por elas. Abre as cortinas, e a cidade aparece aos nossos pés. A mesma cidade hostil e suja que atravesso pelas noites, a mesma cidade agora resplandecente daqui destas alturas. *De alguns pontos privilegiados*, penso, *Córdoba parece digna*.

Ele pergunta se tenho tempo, e respondo que o tempo depende do dinheiro, que me perdoe, mas a vida é assim. Ele ri e eu também, no entanto, não sei como dissimular minha falta de jeito. No vazio que esse silêncio deixa entre nós dois, ele olha para mim e diz:

— Está com raiva. Você está com muita raiva.

E me convida com delicadeza a tirar a roupa, deitando-me de bruços no tapete, e senta sobre os meus quadris e começa a massagear minhas costas. Meus olhos se enchem de lágrimas. Com certeza, com toda a certeza, estou com raiva: com raiva do mundo, dos meus pais, do amor de plantão, da profissão, da vida, do bairro onde vivo, dos políticos, do céu, do inferno. Mas sua revelação me destrói. Não é muito difícil adivinhar que uma travesti de vinte e dois anos, prostituindo-

-se numa noite de verão a alguns metros de uma funerária, possa estar com raiva, ou com muita raiva, do seu destino. No entanto, trata-se da primeira vez que um cliente me faz massagens. Também é a primeira vez que traduz a minha dor em palavras. O que mais me dói é o meu próprio rancor. Enfurece-me tanto que o transformo em tudo: o alívio em tensão, a cortesia em maus-tratos, a franqueza em falsidade, a dor em raiva.

Quando ele termina a massagem, deita-se ao meu lado e me diz que veio a serviço para Córdoba, que está trabalhando para a província e que amanhã vai para Buenos Aires, pois precisa fazer exames. Faz exames há cinco meses, porém os médicos não encontram nada.

Não pergunto, deixo-o falar. Como se o meu silêncio fosse uma incitação à confidência, ele me conta que detectaram umas manchas no seu pulmão e que está convicto de que é câncer. Quando diz isso, não se entristece. Até sorri levemente:

— Já fumei muito, desde os catorze. De modo que não posso dizer que acho injusto.

Não sei o que responder sobre sua confissão. Ainda sou jovem, não entendo direito. Sou incapaz de conceber a morte. Sei viver a duras penas o presente e sempre em risco. Ainda não sei que a morte sempre esteve ao meu lado, desde que nasci, que tem o meu nome tatuado na testa, que me dá a mão todas as noites, que se senta comigo à mesa e respira no meu ritmo.

Enquanto parte de mim escuta as palavras dele, existe outra que se sente imortal e o contempla sem empatia. A impressão é de que ele se compraz em saber que tem as horas contadas, como se brincasse de fazer as coisas pela última vez. Ao mesmo tempo, sinto que confia em mim. Pergunto se já esteve alguma vez com uma travesti, e a resposta é que não. Digo que é como se fosse mordido por um vampiro: algo irreversível.

Alguns minutos depois, estamos trepando, meio desajeitados, eu pensando: *Vai morrer, ele vai morrer*, pegando nele com receio que se quebre. Mas, minutos mais tarde, lhe dou as boas-vindas ao meu corpo, como se recebesse um estrangeiro ávido por conhecer minha terra.

Depois do orgasmo, ele desaba respirando com dificuldade. Em seguida me diz que tem esposa. Deixa passar outro tempo e diz que é uma mulher jovem e que fica puto por envolvê-la no caminho de sua morte. Não tem filhos. Eu me ofendo um pouco com toda a confissão. É um ataque de ciúmes, sei disso, porque em algum momento da noite tive ele só para mim. Só que, bem no fundo das coisas, no porão desta história, não existe nada que seja para mim. Apenas o meu corpo, que vendo para poder viver como mulher. Vejo as horas e falta muito para amanhecer, mas quero voltar para minha pensão, quero estar neste momento no meu quarto de paredes mal pintadas, com fotos de família coladas com cola de sapateiro na parede.

Despedimo-nos como se não tivéssemos dito o que foi dito nem sentido o que foi sentido. Pergunto para ele se tenho que sair sem dar explicações: ele dá risada e me diz que sim, que saia como se não fosse nada. Ao passar em frente ao recepcionista, cumprimento-o. Quando chego à esquina, olho para cima e tento localizar sua janela, mas todas as luzes do andar dele estão apagadas.

* * *

Tia Encarna espia através das persianas os movimentos da rua. Há alguns dias, um automóvel branco estaciona o mais próximo que pode da casa dela e permanece horas ali, com dois homens dentro que olham de tanto em tanto para as janelas. A vegetação avançou de tal maneira que, do quintal, subiu até o telhado e agora despenca pela frente da casa com um manto espesso de folhas que quase não deixa a luz entrar, apenas o suficiente para escrever poesia.

Tia Encarna enfrenta a perseguição praticamente sozinha. Nenhuma de nós está ali para ajudá-la. É que não entendemos o que está acontecendo. O Brilho deixou de falar, e a mãe dele só nos diz aquilo de que precisa do supermercado: essa é toda a ajuda que aceita, que façamos as compras para ela. Quando conseguimos entrar, vemos o menino talhando na madeira os animais que já fomos: mulheres-pássaros, mulheres-lobos, mulheres tristes, mulheres valentes, toda a nossa mitologia esculpida nessas estatuetas que o menino cria em sua reclusão. No quarto da Tia Encarna dá para ver sobre a cômoda o cofre aberto e as joias.

Todas conhecemos a história real ou fictícia de cada uma daquelas peças, presenteadas à Tia por coronéis e monsenhores: anéis que estiveram nos dedos de um papa, diamantes incrustados em serpentes de ouro branco, esmeraldas, rubis. Todas as vimos. E todas vimos também os vizinhos, falando entre eles e apontando a casa do pecado.

Encarna sabe que virão por causa deles. Por causa dela e do menino. O Brilho trouxe, junto de outras tantas bem-aventuranças, o sabor metálico do medo. Desde que o menino entrou em sua vida, a Tia Encarna sabe o que é o medo: sente-o no paladar.

* * *

Conheci Tia Mara justo nesse momento em que, como Mamma Roma, eu tinha dito adeus, vou embora, e não voltei mais aos lugares que costumava frequentar depois de ver duas travestis se cortarem feio numa confusão que respingou sangue na minha cara. Após ver as duas quase se matarem por causa de um carro que se aproximou da área, decidi não pisar mais no Parque.

Tia Mara vivia a duas quadras da minha casa. Eu sempre cruzava com ela no supermercado, na quitanda, às vezes nas cabines telefônicas da esquina da Colón com a Mendoza. Olhávamo-nos e nos reconhecíamos. Às vezes, ela sorria para mim. Às vezes, inexplicavelmente, estava vestida de homem, com uma camisa quadriculada e sua cabeleira de dançarina de flamenco presa num rabo de cavalo, e a calça jeans reta que todas alguma vez usamos, como passageiras em trânsito. Quando andava assim, travestida de homem, não sorria para mim. Quando era a Tia Mara, ela me olhava com ar de cumplicidade e cheia de amor.

Numa noite em que o movimento andava fraco, saí para caçar clientes pelo bairro e a vi em ação pela primeira vez: Tia Mara em cima de uns saltos de acrílico que pareciam mantê-la flutuando no ar, tal como aquelas virgens que levitam graças à própria beleza. Ajeitava a roupa, depois de descer de um carro que já arrancava e do qual se despedia com um tchau acenando com sua mão grande e polida como mármore branco. Quando me viu, converteu o aceno de despedida para o cliente num chamado fraternal, que condimentou com um "Venha cá, marica!" que me fez correr até ela como mariposa em direção à luz, com todo o medo do mundo porque não queria terminar com a cara talhada por andar no território de outra.

No entanto, ela era diferente de todas, a começar por seu perfume. Todas acreditávamos demarcar território com nosso perfume, e as travestis daquela época gostávamos dos perfumes doces e um pouco cítricos. Mas nenhuma cheirava como Tia Mara. Quando cheguei ao seu lado, perguntou se eu queria tomar café com ela e respondi que não tinha dinheiro.

— Ai, uma marica pobre! Vamos tomar um cafezinho lá em casa. Viu o carro que acabou de sair? Você já esteve alguma vez com ele? Paga só pra te acariciar. Eu reclino o assento, me encosto, e ele mete a mão por baixo da minha roupa. Daí paga e cai fora. Faz eu me sentir uma rainha.

Ela me convenceu sem esforço a encerrar o expediente de trabalho e fomos caminhando até sua casa. No caminho, disse que sabia tudo de mim. Que às vezes me via no Olho Bizarro, um bar único do qual sentiríamos falta para sempre. Que conhecia minha zona de operações, de qual cidade eu vinha, qual era o meu nome no documento e também que fazia faculdade. É que, naqueles tempos, entre as travestis, nossos amantes passavam de mão em mão, e assim corriam as fofocas: eram eles que levavam e traziam nossos segredos, antes de nos abandonarem.

O apartamento de Tia Mara é rosa, como a casa de Tia Encarna. Encostado na parede, um aquário com dois bichos enormes que batem suas longas barbatanas e exibem suas cores impossíveis. Ela entra e fala com eles como se pudessem responder. Estamos no quarto onde atende seus clientes, que tem ar-condicionado e uma luminária de lava. Mara diz que nunca deve-se dormir na mesma cama usada para trepar com os clientes. Esse detalhe me parece delicadíssimo, digno de uma dama que fala com os peixes.

Numa das paredes pende um espelho, para que os clientes possam se ver a abraçando e saibam que não é uma alucinação. Em seguida, mostra o quarto onde dorme. Nesse momento, Tia Mara adquire sua íntegra dimensão para sempre: ao fundo fica a cozinha, o vaso da jiboia em cima da geladeira, na prateleira algumas coisas espantosas de porcelana, a toalha emborrachada sobre a mesa, em seu centro flores artificiais, a chaleira está envolvida por uma capa de crochê.

Tia Mara oferece, à minha escolha: café batido ou chá com sabores. Escolho café. Ela começa a batê-lo, serve-o e, enquanto deixamos que esfrie um pouco, põe-se a anotar num caderninho algo que não consigo ver. Olha para mim e diz que é o seu registro de clientes. Anota-os por nome ou sobrenome e, se não sabe um nem outro, descreve-os por alguma característica fisionômica ou pela marca e cor do carro. Ao lado escreve quanto lhe pagaram e os presentes dados pelos que não pagam: um vinho, uma bijuteria, um enfeite, até um relógio de parede lhe deram certa vez.

Isso consta em outro caderno, no qual anota os amantes: um registro demencial de todos os homens com quem se deitou gratuitamente e que a fizeram sofrer. Esse caderno ela não mostra para mim, mas o outro, sim. Ao fim de cada mês, soma o dinheiro e anota o valor total. As cifras são inacreditáveis. Está quase rica. Contudo, poupar não é algo fácil para Tia Mara, pois tem três filhos, de uma vida passada.

Tudo nela era hospitalidade. Estou certa de que todos os seus clientes e todos os seus amantes sentiam exatamente isso. Tia Mara era uma mulher com protocolo próprio, algumas regras feitas de pequenos gestos completamente autênticos para satisfazer o outro. Praticava isso como uma arte, consagrou-se a essa arte. Os peixes flutuantes, as luminárias de lava, os almofadões de leopardo, a cama para os clientes e a camona para os amantes. Além disso, a outra vida como homem, a vida que todas as travestis tratamos de arquivar, congelar ou destruir depois de tê-la abandonado. Nunca pude entender como fazia para viver com um pé em cada pátria.

Tia Mara era uma porção da história do nosso país, a pornográfica e feliz história deste país onde os homens de bem trabalharam a terra e os netos de imigrantes povoaram a pátria, e todos eles juntos, os gringos, os negros, os índios e os mestiços, todos esses homens teriam ardido na fogueira pública por se deitar com uma travesti. Tia Mara mantinha organizada a conta de todos aqueles homens que, alguma vez, duas vezes ou mais, por desespero, por curiosidade, por anseio secreto, não importa, entregaram-se àquele corpo travesti. Tia Mara guardava o registro completo das ocasiões e os esperava de novo no seu templo travesti, com a tranquilidade de quem sabe que, para certas pessoas, é mais difícil mudar que morrer.

Estou próxima da pensão da Tia Encarna e me aventuro a tocar a campainha. Passaram-se quase sete meses desde a última vez que a visitei. Tive problemas, esta é a verdade: minha mãe adoeceu e precisava operar. Dois clientes me roubaram com o velho truque de se fazer passar por necessitados de sexo. Asfixiaram-me até que desmaiasse, fizeram o que queriam com meu corpo meio morto e depois roubaram tudo o que pareceu ter valor para eles, as bugigangas que uma mulher como eu podia acumular.

Não, no fundo foi por despeito que não apareci nos últimos sete meses. Porque Encarna nunca me ligou nem sequer para saber se tinha me recuperado. As fofocas que chegam asseguram que os policiais aparecem a qualquer hora em sua porta e que os vizinhos jogam todo tipo de coisas no seu quintal. Que as paredes estão cobertas de pichações, e a porta, chamuscada por duas tentativas de incêndio. As demais travestis que se hospedavam na casa fugiram, tomadas de pânico, depois de serem sistematicamente fustigadas toda vez que enfiavam a chave na fechadura para entrar.

Mas a situação da Tia Encarna passou para segundo plano para todas nós desde que teve início a temporada de travestis assassinadas. Toda vez que os jornais anunciam um novo crime, os miseráveis dão o nome masculino da vítima. Dizem "os travestis", "o travesti", tudo é parte da condenação. O propósito é fazermos pagar até o último grama de vida em nosso corpo. Não querem que nenhuma de nós sobreviva. Uma foi assassinada a pedradas. Outra foi queimada viva, como uma bruxa: encharcaram-na de gasolina e tacaram fogo, no acostamento da rodovia. Acontecem mais e mais desaparecimentos. Existe um monstro lá fora, um monstro que se alimenta de travestis.

De um dia para o outro, simplesmente já não estamos. Na medida em que menos laços temos entre nós, torna-se mais fácil desaparecermos. As notícias correm de boca em boca. Quase em seguida, nós nos inteiramos da última violação, da última vítima. O mundo é perigoso.

Estou na frente da porta da pensão da Tia Encarna porque soube que deixou de levar o menino à escola depois de ele ter sido vítima de todas as violências possíveis. O Brilho fez silêncio diante de cada uma dessas injustiças. São terríveis os maus-tratos a que ele foi submetido. E o pobre santo não contou nada, nunca disse para sua mãe o que sofria na escola. Um dia chegou em casa com os dedos inchados e roxos, não tinha força para sustentar o peso da xícara nas mãos. Alguns colegas haviam apertado seus dedos na porta até deixá-los daquele jeito.

— Por quê? — perguntou Tia Encarna.

— Porque sou teu filho — O Brilho respondeu.

Tia Encarna perguntou se queria continuar frequentando a escola ou se preferia que uma professora fosse lhe dar aulas em casa. O Brilho não respondeu, então ela decidiu sozinha. Colou cartazes nos postes de luz do bairro: "Procura-se professora particular que seja amorosa e compreensiva". Contudo, as poucas que chegaram a tocar a campainha se espantavam ao ver a barba e as tetas enfaixadas da Tia Encarna.

A única que compreende, a única testemunha, é María, a passarinha engaiolada, esquecida no cárcere de prata, dependente absoluta do menino, o único que se lembra de alimentá-la. Às vezes conseguem passar semanas sem incidentes, mas eis que explode uma garrafada contra a porta, ou um vaso cheio de merda cai no pátio, ou um telefonema anônimo às quatro da manhã. Nossa mãe permanece trancafiada em sua casa como se estivesse enclausurada num monastério. E nós nos esquecemos dela, porque depositamos toda a nossa atenção em continuar vivas e esperar que as coisas mudem. Só as que conseguiram escapar para o exterior se lembram dela, enviam postais contando da vida "normal" que levam, cobrando em euros de pacíficos caminhoneiros nos acostamentos do caminho, em desconhecidas cidades da periferia. Aqui, por sua vez, o pânico nos leva a tomar decisões equivocadas, a irmos sempre com o cliente impróprio.

"Você vai terminar jogada numa vala", meu pai me dizia da outra ponta da mesa. "Você tem o direito de ser feliz", dizia-nos Tia Encarna sentada na sua cadeira do quintal. "A possibilidade de ser feliz também existe."

Em nome dessa lembrança, atravesso avenidas e chego a essas ruas que uma vez senti que eram minhas. Desço por Obispo Salguero, o bairro já não parece abandonado, sobretudo quando se converte na rua Salta. Surgem comércios abertos, pessoas que passeiam com cães pela rua. De longe vejo que, diante da casa da Tia Encarna, levantaram um edifício de vidro escuro. Em suas janelas, consigo ver refletida a selva que se formou sobre o teto da pensão travesti.

É uma incongruência no bairro: parece uma fortaleza feita de tranças de ramos e folhas por onde se infiltram pássaros e mariposas. Sobre as paredes que dão para a rua, um musgo verde e resistente, impossível de arrancar com as mãos. Cadelas ferozes da rua, crias das cadelas de nossa irmã mendiga, rondam a entrada em silêncio ou ficam jogadas na porta. Dizem que é impossível tirá-las dali. Às vezes, mandam funcionários da prefeitura disfarçados de astronautas amarelos para capturá-las ou espantá-las. Os vizinhos tentaram envenená-las e eletrocutá-las, mas não há maneira de enganar as cadelas. Por onde quer que as ataquem, elas já estão à espera e sabem como se defender.

Debaixo de sua deterioração, a casa continua cor-de-rosa. Rosa ilusão, rosa óbvio, rosa nosso, rosa impossível, rosa irreal. Falta uma quadra e meia para eu chegar, quando vejo umas luzes vermelhas e azuis que titilam com brutalidade diante da porta da Tia Encarna. Gente amontoada, a rua bloqueada para o trânsito, sirenes. Apresso o passo. Levo na bolsa uma estatueta da Defunta Correa e alguns biscoitos doces, os mais caros que encontrei na gôndola do supermercado. Abro caminho entre as pessoas, aparecem vizinhos nas portas e nas janelas de suas casas, alguns espiam através das persianas, surgem espectadores de butuca nas sacadas.

O problema é, com certeza, na casa de nossa mãe. As cadelas estão enlouquecidas, mantêm os curiosos e a polícia afastados, ladram para as janelas de onde os vizinhos as xingam. Estão enfurecidas, com o lombo crispado, é possível que sejam umas trinta cadelas, de todos os tamanhos e todas as cores. Abro caminho às cotoveladas e topo com A Pequena, que chora como uma Madalena. Abraça-me sem conseguir falar, desconsolada. Trato de me soltar dela quando vejo uma ambulância e um carro de bombeiros. "Veados! Assassinos!", gritam das janelas e das sacadas. Os policiais levam detida uma travesti que não conheço. Vai desnuda sob o penhoar. Grito-lhe para que ao menos permitam que ela se vista, por favor, está fazendo frio, mas ninguém me dá atenção, enfiam-na para dentro da viatura e, ao forçarem a entrada, batem a cabeça dela contra o teto.

Consigo distinguir os Homens Sem Cabeça vigiando a uma distância prudente, um deles fala com duas policiais femininas cuja função concreta não chego a entender. Aos poucos consigo abrir caminho até chegar dentro da casa. Um bombeiro me impede com uma das mãos no peito, meu peito de espuma, meu peito que pressente que tudo vai mal neste maldito país. "Não pode ficar aqui, senhor", diz para mim. Eu deixo passar o insulto e pergunto o que aconteceu, explico-lhe que sou amiga da dona da casa. O bombeiro diz que Tia Encarna deixou o gás aberto e deixou-se morrer com O Brilho.

De onde estou, consigo ver os pés enormes de nossa mãe no seu quarto. Parece adormecida de bruços na cama. Nem sequer na cama eles têm respeito por nossa mãe, nossa puta mãe que não soubemos salvar. O bombeiro me diz que o quarto estava selado por dentro, com trapos debaixo da porta e nas janelas. Será caracterizado como suicídio e assassinato. "Que ela se matasse, vá lá. Mas levar junto a criança é imperdoável", diz o bombeiro. Digo que havia joias no quarto de Encarna e pergunto quem é o supervisor da operação. O bombeiro fica tenso, depois ri nervosamente e diz que não havia nenhuma joia no cômodo.

Olho para a cozinha e vejo María, a Pássara, em sua gaiola, batendo com o corpo inteiro contra as grades, completamente enlouquecida. Tento ir em seu resgate, mas o bombeiro fica violento comigo. Então nos paralisa um grito terrível, ensurdecedor, e vejo umas unhas esculpidas de leopardo e depois um braço coberto de pulseiras de escamas de peixe. "O que é isso?", mal consegue murmurar o bombeiro.

É nossa feiticeira, A Machi Travesti, que paralisa policiais, bombeiros, enfermeiros e curiosos. A Machi avança entre eles com a mão para o alto sem que ninguém a detenha, abre a gaiola de María, que sai voando desajeitadamente, como um morcego, e pousa nos ramos mais altos, acima do teto. Atrás da feiticeira, entram todas as travestis, em silêncio. A Machi faz com que as mais próximas entrem no quarto, e ficamos ali, contemplando a cena: o menino deitado de perfil junto de sua mãe. Morreram cara a cara, olhando-se nos olhos. Morreram sabiamente, para não ter mais de suportar humilhações. Nossa mãe e nosso filho adorado. O que dizer?

A Machi se ajoelha sobre a cama e canta em línguas, pita seu cigarro, espalha fumaça sobre os corpos, cobre-os com uma nuvem. Do lado de fora não se ouve um só ruído. Quando o ritual termina, levanta a cabeça e fareja o ar. "As joias ainda estão na casa", diz. "Procurem." Em silêncio e ainda desoladas por causa da cerimônia, as travestis nos colocamos a revirar os cantos e entre as plantas. O movimento parece despertar os policiais e os bombeiros do seu estupor, pois tentam se mover, fazer algo para nos deter, mas sem conseguir. Dos fundos, uma grita que encontrou as joias. A Machi dá a ordem: "Vamos embora", diz, e saímos da casa em silêncio. María, a Pássara, voa até minha bolsa, e a deixo se enfiar ali dentro.

Do lado de fora, todo mundo chora: os curiosos, os que antes xingavam, os poucos que nos conheciam e sentiam algum apreço, todos parecem enfeitiçados pela dor. Quando nos afastamos, vemos que Os Homens Sem Cabeça nos seguem de longe. As cadelas encerram o cortejo, protegendo a retaguarda. Vamos a caminho do Parque. A Machi estala os dedos e recita frases, e nós respondemos à litania, mas a cidade não nos escuta, já nem se lembra de nós. Caiu a noite enquanto nos despedíamos de nossa mãe, e faz muito frio. Uma dupla de catadores de papel freia sua carroça para nos dar passagem e dizem adeus com a mão.

Ao chegar ao Parque, as garrafas despontam e cigarros são acesos, e começamos a contar umas às outras como conhecemos nossa mãe e as coisas que aquela deusa de pés de barro e mãos de boxeador fez por cada uma de nós. Uma das mais jovens coloca música no seu celular, e todas dançamos para acompanhar a ascensão da Tia Encarna e do Brilho dos Olhos ao céu das travestis, para que nos escutem caso se percam. As cadelas correm entre nossas pernas e ameaçam fazer com que a gente perca o equilíbrio. Anônimas, transparentes, madrinhas de um menino encontrado numa vala e criado por travestis, únicas conhecedoras do segredo do filho da Defunta Correa. Nós, as esquecidas, já não temos mais nome. É como se nunca houvéssemos pisado ali.

Acreditamos nos livros

Este livro foi composto em Utopia Std
e impresso pela Grádica Santa Marta para a
Editora Planeta do Brasil em junho de 2021.